MW00652538

Claudia Hernández

De fronteras

Piedra Santa
EDITORIAL

COLECCIÓN
Mar de tinta
letras centroamericanas

De fronteras

863.97284
H557 Hernández, Claudia
De fronteras / Claudia Hernández.—
Guatemala : Piedra Santa, 2007

124 p. ; 21 cm. (Colección Mar de Tinta)

1. LITERATURA SALVADOREÑA
2. CUENTOS SALVADOREÑOS
I. t.

Primera edición: 2007

ISBN: 978-99922-1-207-3

Traducción del texto de Gaby Küppers:
Marisol Batres

Diseño e ilustración de portada:
Alejandro Azurdia

Diseño de interiores:
IDEARTestudio

Diagramación:
Julio Serrano Echeverría

Corrección de texto:
Michelle Juárez

Edición a cargo de:
Michelle Juárez

37 avenida 1-26 zona 7
Tels. (502) 2422 7676
editorial@piedrasanta.com
Guatemala, Guatemala, C. A.

Distribuidora salvadoreña
Avenida Olímpica # 3428
entre 65 y 67 avenida Sur
Tels (503) 2223 5502 - 2223 4440
Fax: 223 6564
elsalvador@piedrasanta.com
San Salvador, El Salvador, C.A.

www.piedrasanta.com

Molestias de tener un rinoceronte

Es incómodo que a uno le haga falta un brazo cuando tiene un rinoceronte. Se vuelve más difícil si el rinoceronte es pequeño y juguetón, como el que me acompaña. Es fastidioso. La gente de estas ciudades bonitas y pacíficas no está acostumbrada a ver a un muchacho con un brazo de menos. La gente de estas ciudades bonitas y pacíficas no está acostumbrada a ver a un tipo con un brazo de menos y un rinoceronte de más saltando a su alrededor. Uno se vuelve un espectáculo en las ciudades aburridas como esta y tiene que andar por las calles soportando que la gente lo mire, le sonría y hasta se acerque para platicar de lo lindo que está su rinoceronte, señor, no lo compró acá, ¿verdad? ¿De qué rinoceronte me habla, señora? Del suyo, por supuesto. Disculpe, se equivoca —digo—, el rinoceronte es bellísimo, pero no es mío —les aseguro mientras me aseguro de que estén viéndolo a él y no a mi brazo que no está—. ¡No diga eso! Es evidente que es suyo: ¡mire el amor con que lo ve! Está bien —acepto para no seguir discutiendo y demorándome; un joven como yo, aunque le haga falta un brazo, tiene demasiadas ocupaciones como para detenerse a debatir con cada persona que lo mira o le habla—, es mío. ¡Lo sabía! ¿Y bien? Pues nada, es usted un hombre afortunado, ya me encantaría tener uno igual. Pues es su día de suerte, señor. ¿Mi día de suerte? Sí, señorita: es suyo, se lo obsequio. No, no podría aceptarlo. ¿Por qué, pequeñín? Es que el rinoceronte lo quiere a usted. Pero usted le simpatiza, llegará a quererlo, abuelo. De ninguna manera: el rinoceronte es feliz con usted, dicen.

Yo prosigo mi camino mientras la gente se queda molesta porque no sonrío. Me voy molesto porque la gente espera que le sonría por haberme detenido para preguntarme por el rinoceronte y no me ayuda a deshacerme de ese animalito que me sigue desde el día que perdí el brazo y se me acerca tanto que lo creen mío. Hasta él se cree mío. Me sigue. Me acompaña. Me da su compañía bajita y gris y me acaricia siempre con ese su cuerno que apunta hacia el futuro. Se esfuerza por agradarme, incluso se preocupa por encontrar su alimento para no tener que darme motivos para decirle que se vaya de una vez, que me deje en paz.

Una tarde fui a dejarlo a casa de mis abuelos, que sí lo necesitan (no como yo, que no necesito estar con un animalito o con una persona para sentirme mejor aunque me falte un brazo). Pero, como no quiso quedarse, me ordenaron que lo sacara de inmediato y les llevara un niño o un perrito, o un periódico.

Molesto como casi nunca, fui a perderlo a una región dominada por la noche. Luego me molesté aún más porque, a media cuadra, extrañé el eco de sus pasos y me alegré al oír sus pasos pequeños atropellándose en mi búsqueda. Sonreí al ver que le era yo agradable y que él me seguía a mí, que no tengo brazo, en vez de a cualquiera de los que están completos. Por eso le permití que siguiera a mi lado. Desde entonces los soporto a él y tolero las miradas de la gente que lo ve, me mira, mira el brazo que me falta y se niega a llevárselo aunque yo lo llame problema con cuerno porque sonrío cuando lo veo y de alguna manera admito que temo que alguien lo acepte y él no oponga resistencia y me deje, y se vaya, y ya no tenga yo pasos enanos alrededor de mis pies de hombre incompleto. Dejo que camine junto a mí y le advierto que voy a montarlo cuando crezca. Lo acaricio al llegar a casa con los dedos que no tengo y le permito dormir bajo mi sombra. Si continúo ofreciéndolo a todo el que me pregunta por él es porque no es mío y puede irse cuando quiera y con quién quiera. No es mío. Yo no lo llamé. Vino solo y me escogió a pesar de ser incompleto. Me escogió a mí y no a otro, a alguno de los cientos de miles que habitan esta ciudad. Me escogió y me quiere. No va a irse porque nadie aceptará llevárselo. Nadie le quitaría su rinoceronte a un hombre que ya perdió su brazo... Nadie...

Hechos de un buen ciudadano (parte I)

Había un cadáver cuando llegué. En la cocina. De mujer. Lacerado. Y estaba fresco: aún era mineral el olor de la sangre que le quedaba. El rostro me era desconocido, pero el cuerpo me recordaba al de mi madre por las rodillas huesudas y tan sobresalientes como si no le pertenecieran, como si se las hubiera prestado otra mujer mucho más alta y más flaca que ella.

Ninguna de las cerraduras había sido forzada. Tampoco había un arma por ningún sitio. Nada había que me diera pistas sobre el asesino, que había limpiado hasta las manchas de sangre en el piso. Ni una sola gota dejó. He visto muchos asesinados en mi vida, pero nunca uno con un trabajo tan impecable como el que le habían practicado a la muchacha, que tenía cara de llamarse Lívida, tal vez por el guiño de lamento que se le había quedado atascado en los labios amoratados.

Como cualquier buen ciudadano habría hecho, no esperé a que apareciera mensaje alguno en la radio o en la televisión, sino que hice imprimir uno en el periódico que decía:

Busco dueño de cadáver de muchacha joven
de carnes rollizas, rodillas saltonas y
cara de llamarse Lívida.
Fue abandonada en mi cocina, muy cerca de
la refrigeradora, herida y casi vacía de sangre.
Información al 271-0122.

Cuatro personas llamaron. El primero —un hombre cuya voz aguda me hizo imaginar de inmediato que tendría las manos muy finas— buscaba un cadáver fresco de hombre: a su familia le habían matado un miembro al que debían dar entierro para poder vivir sin cargos de conciencia. Sabía que yo anunciaba una mujer, pero tenía la esperanza de que los causantes de la muerte de su pariente hubieran decidido también dejar el cuerpo en algún lugar de mi casa, aunque no fuera junto a la refrigeradora. Yo, que sabía que no tenía un solo cadáver más en casa, prometí que lo llamaría si por casualidad llegaban a depositármelo o si podía ayudarlo de alguna otra manera. Me lo agradeció de corazón y me deseó un buen día.

Luego telefoneó una mujer que trabajaba —a juzgar por los ruidos que se adivinaban tras su voz— en una oficina pública. Quería felicitarme. "Ya no hay ciudadanos como usted", me dijo. No quiso darme su nombre. Colgó cuando insistí en conocerlo para saber a quien agradecer.

La tercera llamada fue de un hombre de voz grave que no hablaba por iniciativa propia, sino de parte de la oficina donde trabajaba. Deseaba saber si había yo tomado medidas de salubridad para evitar contagios en el vecindario. Quedó en enviarme —para que llenara y firmara— una forma en la que me hacía responsable si acaso se desencadenaba una epidemia de muertos en los alrededores.

La cuarta me conmovió. Se trataba de una pareja de adultos mayores que buscaba a su hija —una muchacha llamada Lívida—, que tenía las características de la que yo ofrecía en mi anuncio, pero debía estar viva, no muerta, y con los labios purpúreos, no violáceos.

Después de una semana sin que alguien más la reclamara, creí prudente, aunque no quería, llevarla a la oficina de salud para que se hicieran cargo de ella, pues comenzaba a oler mal pese a mis cuidados y a mis baños con bálsamo y sal de cocina. Se me ocurrió entonces que podía llamar a la pareja y convencerlos de que se trataba de su hija, pero descarté la idea porque me pareció que sería cruel hacerles perder la fe en que su Lívida estuviera respirando aún. Decidí mejor ofrecérselo al hombre de la voz aguda, quien aún no había encontrado el cadáver de su pariente ni lograba tranquilizar a su familia.

Cuando lo tuve al teléfono, le sugerí que aceptara el cadáver que estaba en mi cocina y lo presentara a los suyos —en un ataúd sellado— como el del pariente que habían perdido, así haríamos dos favores: le daríamos entierro a esa niña y calmaríamos a los parientes de él. Aceptó encantado y llegó a recogerlo unas pocas horas después.

Lo reconocí de inmediato por la mirilla, no por el rostro de doliente esperanzado, sino por las manos, que eran tan finas como decía su voz. Abrí. Nos saludamos con un apretón de manos y sin sonrisas, como hacen los viejos desconocidos. Luego de que le di el pésame, me comentó que era yo mucho más alto de lo que había imaginado. No quise continuar con la conversación para evitarle la incómoda situación de tener que decirme que no sabía cómo agradecerme. Sabía que estaba ansioso y que tenía prisa, así que lo conduje a la cocina para entregarle a la muchacha.

Juntos la introdujimos en el ataúd que había él llevado y que llenamos con objetos varios de mi casa para que pesara lo que pesaría el muerto de él si lo hubiera encontrado. Al final, me pidió discreción. Yo se la juré, como cualquier buen ciudadano habría hecho, y le ayudé a cargar el ataúd hasta el automóvil de la funeraria, que nos esperaba fuera.

Carretera sin buey

De haber sabido que se trataba de un ser humano, no habríamos detenido el automóvil. Ni siquiera habríamos disminuido la velocidad. Pero nos engañaron nuestros ojos, que vieron una silueta animal a la orilla del camino que, de lejos, parecía un buey algo flaco, pero hermoso, que miraba la eternidad sin compañía desde una curva de la carretera. Quisimos unirnos a su contemplación, estar con él, ver lo que él miraba. Descendimos, nos acercamos y le pusimos una mano sobre el lomo, que resultó no ser lomo, sino la espalda ancha y huesuda de un hombre que, en cuatro patas, miraba hacia donde termina el horizonte.

Retrocedimos pese a que no nos dijo palabra alguna. Tratamos de excusarnos, mas no encontramos argumento racional capaz de justificar nuestra equivocación. Se lo dijimos. Entonces volvió hacia nosotros su rostro de hombre y nos sonrió. Se le llenaron de luz los ojitos. Nos preguntó si de verdad lo habíamos confundido, si no estábamos engañándolo, si en realidad su silueta era ya como la de un buey.

Suspiró con alivio cuando le dijimos "Claro. De no haber sido así, no habríamos detenido la marcha. Nos detenemos solo para contemplar de cerca animales, nunca para ver personas, mucho menos personas que parecen animales". Relajó los músculos de la espalda. Nos dio las gracias por nuestras palabras. Éramos los primeros, por eso le costaba creernos. Sospechaba que habíamos sido enviados por su madre, quien, cada cierto tiempo, le paga a la gente para que vaya a convencerlo de que regrese a casa, de que deje de una vez por todas ese camino y se olvide del buey que había arrollado. Pero él no podía. Lo había intentado más de diez veces. Había levantado su duelo y regresado a casa; pero, a diario, cuando pasaba por ese camino, sentía la falta del buey. Miraba el vacío del animal y no podía continuar tranquilo aunque él mismo se había encargado de hacerle compañía y de hablarle mientras estuvo en el trance de la muerte, de acariciarlo cuando pareció necesitarlo, de cerrarle los ojos, de espantarle a las aves de rapiña que quisieron devorarlo, de darle sepultura, de no dejarlo a la intemperie y de sembrar flores y lágrimas sobre su tumba. Por eso había decidido tomar su lugar, estar en la curva y contemplar la eternidad desde ahí. Pero, por más que lo intentaba, no conseguía actuar como buey.

Cada vez que preguntaba a la gente qué veían en él, la gente le respondía que a un hombre a la orilla del camino que les daba la espalda y él lloraba de frustración por no poder reponer al buey consigo mismo. Sentía que su esfuerzo no daba resultado, que su voluntad no había sido suficiente. Hasta ahora, que había funcionado con nosotros, le parecía que comenzaba a serlo.

Conmovidos por lo que escuchamos, le ofrecimos consejo y le aseguramos que parecería un buey ante los ojos de cualquiera si nos obedecía. Lo que debía hacer era simple: debía mirar sin tanta luz en los ojos, quitarse la ropa y hacerse de un par de cuernos.

Estuvo de acuerdo. Luego de desnudarse, se dispuso a desenterrar al buey que buscaba suplantar para quietarle los cuernos. Tampoco puso reparos en seguir nuestra cuarta indicación: castrarse. Era esencial. Si no lo hacía, jamás se miraría como un buey. Podría parecer cualquier otro animal, pero no un buey.

Él dijo que, si había que castrarse, se castraría. Su única dificultad era que no tenía un cuchillo a la mano. Nosotros tampoco teníamos, solo una botella de vidrio, que quebramos para ayudarlo.

Todos estuvimos complacidos con el resultado. Nos felicitamos: había adquirido otro aspecto. Sin embargo, debía aún perfeccionarlo. Antes de marcharnos, no nos cansamos de recordarle que debía restarle luminosidad a su mirada si quería parecer un verdadero buey. No cesamos de repetírselo hasta que nos juró que añadiría algunas sombras. Entonces subimos de nuevo al automóvil y seguimos nuestro camino a alta velocidad. Todos estuvimos de acuerdo en que lo de la mirada le resultaría difícil. Le llevaría más que algún tiempo opacarla.

Un hombre desnudo en casa

Hierve el agua, lo cual es una lástima porque ya no tengo pretexto para permanecer más tiempo acá, en la cocina, donde me siento tan segura con solo no verlo. Borbotea sin cesar. Su sonido se percibe con mayor facilidad desde que mi respiración no se escucha de tan apagada que está por la sola presencia de él. Si no me apresuro, sabrá que estoy evadiéndolo. Tomo un poco del polvo oscuro que guardo en la cocina —la etiqueta en el frasco asegura que es café— y lo mezclo con el agua que ha hervido a pesar de haber estado a fuego lento. Lo preparo sin azúcar, no vaya a ser que me resulte diabético el tipo y se me muera sobre los pocos ladrillos que forman mi pasillo. Coloco azúcar en un recipiente aparte por si él, si es diabético, decide que ha llegado la hora de comenzar a terminar con su vida de prohibiciones y privaciones.

—No sabía si ibas a quererlo con azúcar.

—No me preguntaste.

—Lo siento. ¿Querés azúcar?

—Dejala. Quizá me agrade que un poco de dulce comience a matarme.

—Entonces no. No quiero ser responsable por la muerte de alguien a quien ni siquiera conozco. ¿Qué diría si me preguntan quién sos?

—Di: "No sé de dónde salió".

—"Claro —contestarán—. Asegura no conocerlo, pero lo tenía en su casa desnudo y bebiendo café con usted."

— Si prefieres, puedo morirme en otra parte.

—Daría lo mismo: en tu piel o en tu mirada estaría escrito que comenzaste a morir acá, vendrían a preguntarme por vos y tendría que contestarles algo como "No sé. No lo conocía. Él ya estaba en casa cuando regresé. Lo encontré desnudo mirando por una ventana. Se me acercó y me dijo 'Te estaba esperando. Regalame un café, ¿sí?' Yo se lo preparé porque tenía miedo, no sabía lo que él podía hacerme. Se lo serví con la esperanza de que se largara pronto".

—Entonces, ¿qué proponés?

—Que apurés tu taza y te vayás a aparecerte desnudo a otra casa o a dónde se te ocurra para pedir café y ver por la ventana, y no vengás más a la mía.

Se ríe.

Transcurre un mes. Él siempre está acá desnudo y con la vista clavada en algo que está detrás de la ventana. Siempre está esperando a que yo vuelva del trabajo para pedirme café y para que repitamos, ya sin mi miedo, el diálogo del primer día.

Lo repetimos a diario. Sé lo que va a decirme. Conozco su guión nada más. A él no he podido conocerlo. Tras estos 30 días, siento curiosidad. Me atrevo a acercarme un poco más a él, que ya está —como siempre— con la vista fija en la ventana, para preguntarle. La voz me sale fuerte y ronca, aunque quise emitirla con dulzura.

—¿Qué es lo que siempre estás viendo a través de la ventana?

Me miró con terror y tristeza y salió por la ventana. No he vuelto a verlo.

Invitación

Salí porque fui invitada a hacerlo. Acababa de bañarme y estaba asomando los ojos a la ventana de mi habitación cuando, de pronto, me vi pasar. Era yo. Pero no la yo que miraba en las visiones del espejo, sino otra yo que conocía y que tenía mucho tiempo de no ver: yo niña. Imposible confundir mi mirada, mi forma de andar, mi sombra, mi vestido pálido y mis zapatos gruesos. Era yo que pasaba frente a mi casa corriendo con tanta velocidad que me hice dudar. Pensé que se trataba de mi imaginación, que debía haber salido a correr por las calles que, siendo de una ciudad tan joven, se ven ya tan viejas. Me quedé sonriendo por lo bueno que había sido haberme visto de nuevo con los huesos diminutos y los dientes de leche.

Acomodé mejor la vista en la ventana. Tenía la esperanza de que, si me quedaba ahí, si esperaba, yo-niña volvería a pasar sobre mi vuelo como hacen las mariposas. Diez minutos después (el tiempo que de pequeña me tomaba darle la vuelta al barrio), yo-niña aparecí. Me detuve frente a mí, que estaba esperándome en la ventana, me sonreí de nuevo y corrí alrededor del barrio siete veces en total. Entonces, yo-niña me invité a bajar con un ademán insistente. Yo —que deseaba bajar y tomarme de la mano, y correr, correr, correr, correr, correr—, bajé deprisa por las escaleras.

A mitad de ellas me di cuenta de que estaba desnuda y desistí de salir porque recordé que los vecinos sacaban a pasear a sus infantes a esa hora. Segura de que se alarmarían (las mujeres desnudas que corren por las calles asidas de la mano de ellas mismas cuando eran niñas no son muy frecuentes por acá), subí a la habitación para gritarle que no podía acompañarla porque estaba sin ropas y que lo sentía mucho.

Noté en su rostro que no me había creído. Por eso, me asomé completa a la ventana para probárselo.

Pareció no importarle. Seguía gritando que saliera, que saliera ya, que saliera pronto, que me apurara. Pataleaba con insistencia, hacía temblar el asfalto. Me hacía angustiarme. Y, cuando me llenó de desesperación por no poder salir, entonces escuché mi voz —pero no mi voz de niña ni mi voz de ahora, sino mi voz de cuando esté ya muy vieja— que me decía que saliera a jugar conmigo-niña, que no me dejara esperándome. Me hablaba con voz de mando. Me lo ordenaba mientras —como yo no daba un paso para cubrirme el cuerpo— me vestía con una sábana y me llevaba de la mano rumbo a la salida. Escaleras abajo, yo-vieja me colgué la llave de la casa al cuello para cuando volviera, me saqué a la calle y me di un empujón para que me alcanzara a mí-niña, que, al verme salir, echó a correr colgando las risas en el aire como si se tratara de globos enormes.

Toda la mañana corrí tras de mí sin darme alcance. Yo-niña me animaba a aumentar la velocidad y a atraparme, pero seguía corriendo más rápido de lo que a mi edad puedo hacerlo. Corría y volvía a verme burlona con mi risa de niña mientras yo-vieja nos vigilaba desde mi puerta. Ambas se veían satisfechas.

Parecían modelos de un cuadro. Lo único que quebrantaba la atmósfera de armonía era yo, que no sonreía, que estaba cansada y que me dolía de mis pies sin zapatos lastimados por el asfalto caliente.

Dimos vueltas al barrio. De pronto, yo-niña se internó en la ciudad. Intenté seguirla guiándome solo por su carcajada. Estaba empecinada en darle alcance, pero tenía la desventaja de no saber dónde estaba. No reconocía el paraje. La ciudad parecía desordenarse detrás de mis pasos. No encontraba yo una señal que me revelara su ubicación o la mía. Ni siquiera la gente me ayudaba a situarme. Unas me decían que estaba cerca de mi barrio; otras, que nunca estaría más lejos que entonces. Por eso preferí caminar sola. Sabía que, de alguna manera, saldría de allí. Me pedí paciencia. Me pedí esfuerzo. Me pedí no dejar de caminar. Estaba segura de que conseguiría descifrar el laberinto y salir de él. Pero toda mi seguridad no alejaba la desesperación, que se posaba sobre mí en forma de pájaros oscuros que tenía que espantar con movimientos de manos mientras caminaba.

Anduve tanto y tantas veces alrededor de los mismos sitios que perdí la esperanza de regresar. Y, cuando ya ni siquiera tenía ilusiones, cuando ya ni siquiera deseaba dar con mi casa, visualicé mi techo celeste y mi ventana. Caminé hacia ellos en el ocaso. La noche se precipitaba tras de mí.

Buscando refugiarme de las noches frías de esta zona, tomé la llave que yo-vieja me ató al cuello y la metí en la cerradura. Entró sin problemas y hasta giró, mas no abrió. Falló en los cuatro intentos. Entonces, aunque vivo sola, toqué para que alguien me abriera.

Cuando nadie atendió mi llamado, comencé a pensar en donde encontrar un cerrajero que me ayudara y no preguntara porqué me había quedado fuera envuelta en una sábana.

Pensando estaba cuando me cayó una colcha encima. "Para el frío", me dijo una voz que venía de mi habitación y que distinguí de inmediato porque era con la que hablaba en la infancia. Yo-niña me miraba burlona desde la ventana. Se reía de mí. Le grité que me abriera, que me abriera de inmediato, que me abriera ya. Pero no respondió a mi petición. Solo sonrió y me hizo señales de despedida con la mano hasta que llegué yo-vieja y la halé hacia el interior de la casa. Me miró como ve la gente a un ser molesto cuando le pedí que me abriera, cerró la ventana y desapareció.

Intuí que no me dejarían entrar más, así que di la vuelta y me interné en la ciudad en búsqueda de un empleo que me permitiera pagar una habitación en la que pudiera vivir. Busqué un lugar en un edificio alto, muy alto, un sitio donde las voces de la gente que camina en la calle no pueden distinguirse para que, si ellas regresan, no pueda yo escucharlas ni aceptar sus invitaciones, ni salir a la calle, ni quedarme de nuevo sin casa.

Hechos de un buen ciudadano (parte II)

Debido al anuncio que publiqué por Lívida, comencé a recibir llamadas de gente que deseaba saber con urgencia como había yo solucionado el problema de tener un cadáver ajeno en casa. Dispuesto a ayudar en cuanto me fuera posible, traté de dar respuesta a sus preguntas. Y como entendía que era una situación que podía requerir de más apoyo que el que brindaban mis consejos telefónicos, ofrecí atenderlos en mi casa.

La medida fue acertada: en una sola tarde me llegaron veinte cadáveres de ambos sexos, de todas las edades y de diferentes partes de la ciudad. Ni uno solo estaba desnudo, aunque habían sido encontrados sin ropa como mi Lívida. Todos habían sido ataviados por los dueños de las casas para no levantar sospechas al transportarlos hasta la mía. Pero como, debido a lo nerviosos que estaban, los habían vestido con la primera de las ropas que encontraron en sus armarios, habían muertas con ropas de hombre, niños con faldas floreadas, jóvenes con indumentarias de ancianos y viejos embutidos en camisas con motivos infantiles.

Los que los trajeron, después de disculparse por las indumentarias, dijeron lo mismo: que los habían encontrado en sus casas (en las entradas, en los dormitorios, en los pasillos), que no habían sabido qué hacer con ellos y que acudían a mí porque yo —un buen ciudadano— había sabido tratar con dignidad a la muerta de mi cocina. Muchos me ofrecieron dinero por la ayuda que les brindé con sus cadáveres. Como no acepté, buscaron hacerme entender que se trataba de una ayuda para sufragar los gastos. Yo sostuve que, si tomaba el dinero, los estaba declarando a ellos responsables de los gastos que debían ser asumidos por los asesinos o por los familiares de los muertos. Ellos insistieron en que era justo ayudarme y no solo depositaron el dinero en cajas selladas que colocaron en mi sala, sino que también estuvieron prestos a ayudarme en lo que necesitáramos los veinte muertos o yo.

Lo primero que les enseñé —para que supieran como proceder y no desfallecieran o se angustiaran si volvían a tener un muerto en casa— fue cómo salar los cadáveres. Luego les expliqué cómo llenar las formas de la oficina de salubridad, a la que yo mismo telefoneé, como un gesto de amabilidad y cortesía, antes de publicar el aviso de los difuntos en el periódico. Después, los guié en la redacción del anuncio —que se llevó una página completa del periódico—, los llevé a publicarlo y me senté con ellos a aguardar las llamadas.

La espera fue agradable. Ellos llevaron té, café, galletas y otras bebidas y bocadillos para acompañar la conversación. La pasamos muy bien. Intercambiamos historias, algunos obsequios, ánimos y, por supuesto, alegrías cuando comenzamos a recibir las llamadas de los familiares de los cadáveres.

Trece de los veinte muertos fueron reclamados. De todas partes de la ciudad y hasta de fuera de ella aparecían parientes emocionados que nos agradecían con lágrimas por el buen trato que habíamos dado a sus muertos (algunos dijeron incluso que ni en vida habían sido tan bien cuidados sus hijos, hermanos, esposas, padres o amigas). A medida que iban siendo reclamados los cadáveres, quienes los habían encontrado se marchaban felices a sus casas.

Cuando quedaron solo los siete que no lograron encontrar una familia que se ajustara al muerto que ofrecían, el ambiente se nubló. Resolví entonces contarles el resto de mi experiencia con Lívida, que les dio consuelo y los reanimó. Así, esperanzados en que habría solución, los envié de regreso a sus casas.

Antes de irse me preguntaron si debían llevarse con ellos los cuerpos. Contesté que no había necesidad: yo podía quedármelos y cuidarlos.

—En verdad es usted un buen ciudadano —me dijeron.

Una vez se fueron, me dispuse a lavar los cadáveres para quitarles el exceso de sal. Demoré tres días en conseguirlo. Luego, cuando estuvieron listos, los corté con cuidado para que no fueran a crujir demasiado los huesos y llamaran la atención de los vecinos. Después herví los trozos, deshilé la carne y la mezclé con una salsa hecha con los tomates que cultivo en mi jardín. El sabor era inmejorable. Estaba yo seguro de que gustaría, así que llevé el guiso a los sitios que albergan pordioseros, indigentes y ancianos y les serví abundantes porciones las veces que desearon.

Me sentí contento tanto por mí como por los siete cadáveres que habían servido a sus prójimos cuando dijeron que nunca habían tenido mejor cena en la vida. Cuando me preguntaron que de dónde había sacado tanto dinero para alimentarlos, contesté que de las donaciones de los dueños de los veinte muertos.

La ciudad entera lo supo y me aplaudió en un acto público en el que fui llamado hombre bueno y ciudadano meritísimo. Yo acepté el homenaje con humildad y expliqué entonces que no eran necesarias tantas atenciones para conmigo, que yo era un hombre como todos y que sólo había hecho lo que cualquiera —de verdad, cualquiera— habría hecho.

El ángel del baño

Diana (no la grande —que era la que la cuidaba sin ser la madre— sino la chica —la que tenía ocho años y pintaba jirafas en las paredes—) llegó a la cocina a anunciar que tenía un ángel. Diana (no la chica —que era la niña a la que cuidaba sin ser ella su hija—, sino la grande —la que de edad llevaba 36 años en cuenta—) se sonrió y le dijo que sí, que lo tenía desde que nació, que todo mundo tenía uno, que era bueno que lo supiera. ¿Quién se lo había contado ya? ¿Fue la abuela o alguna amiguita? Nadie: ella lo había visto. ¿Ah, sí? Sí: había aparecido por la ventana que da a la calle, le había sonreído. Ella lo pasó adelante porque se presentó como su ángel cuando le preguntó quién era y le pidió prestado el baño. Allí lo tenía. Claro, cuando estabas en el baño, él estaba con vos. Ahora que estás acá, él te acompaña. Debe estar en... algún sitio... dónde menos se imagina una. El caso es que está con vos. Te acompaña. Te mira. Te vigila. Luego, va y le cuenta a Dios qué hacés. Yo también tengo el mío. ¿Dónde? No lo miro, dice Diana chiquita buscando con la vista entre las paredes. Por acá, dice Diana grande señalando hacia el refrigerador. Tal vez se movió. A lo mejor está junto al tuyo platicando acerca de nosotras.

Diana, la chica, la de los ocho años, sonríe incrédula. Insiste en que su ángel no está allí con ellas, sino en el baño, lavándose la cara, que tenía muy sucia. Sí, claro. Andá a jugar, ¿querés? Tengo que terminar con esto para que comás. ¿Estás cocinando? Sí. Se va tranquila. El ángel tenía razón: Diana no se enfadaría si sabía que él estaba dentro de la casa. Al contrario. Un ángel en el hogar siempre es aceptado, siempre es bien recibido. Se lo dijo, sí. Ahora tenía hambre, ¿había algo para comer? En eso está.

¿Hay galletas, Diana? Sí, te daré algunas después del almuerzo. No: ahora. Mi ángel está hambriento, quiere comer. ¡Ah, es eso! Diana, la de los 36 años, le da una ración como premio por el lindo pretexto. Diana chica dice que no es suficiente: el ángel es grande y está hambriento, querría más que cuatro galletitas redondas y oscuras. Diana, la grande, accede. Le enternece la treta de la Diana chiquita para conseguir más galletas. Le parece ingeniosa. Se las entrega y le advierte con risas que tenga cuidado en el baño de no pisarle un pie al ángel, que es invisible. Diana chiquita le explica que no es invisible, que se ve y que es lindo. ¿En serio? ¿Se parece a tu papá o a tu abuelito? A ninguno. El abuelo es moreno y tiene una nariz inmensa. Papá no es tan lindo como él. El ángel es blanco, muy-muy-muy-blanco. ¿Cómo luz? No. La luz es amarilla y brilla. Él es blanco como las camisas de los niños que van a la escuela. ¿Parece artista de cine? No, tampoco. No sonríe casi. Sólo a ella. ¿Eso ha dicho? Sí. Sólo me sonríe a mí, que lo quiero. ¿Y a Dios? ¿Le sonríe a Dios? No sé, voy a preguntarle.

Va. Corre hacia el baño. Diana grande sonríe. Diana chica regresa. El ángel no quiso contestar. Pidió una toalla: no le ha bastado con lavarse el rostro y las manos, quiere ducharse. Ah, sí, claro. Dile que en el armario hay unas limpias. Va. Regresa. ¿Podría prepararle emparedados? Las galletas no lo llenaron. Son apenas las once con treinta, ¿podés esperarte un rato?, ya casi es la hora del almuerzo. Si comés ahorita, no vas a tener apetito a la hora que sirva la comida. Si no almorzás, tu mamá va a regañarme. Dice que no, que le va a quedar espacio para más. ¿Creés que vas a poder? Yo no, el ángel: tiene mucha hambre, no ha comido en días. Diana grande sonríe. No debería acceder, pero no tiene corazón para botarle el juego a la niña, que está representando muy bien su papel de amiga de un ángel. Le da el emparedado. Diana da las gracias. Se va. Regresa luego preguntando si tienen cerveza. Diana piensa que está llevando muy lejos el juego. Murmura con desgano que las niñas no beben cerveza. Se siente ofendida. Hacerse la tonta tiene sus límites: no va a darle alcohol a una niña solo por celebrarle una trampa simpática, no. No es para mí, es para él, para el ángel que está bañándose. Suena el agua de la ducha cayendo. No me mintás, Dianita. No te miento. Está en el baño, dice. ¿Hay alguien en el baño? Duda. No te miento. Sí, el ángel, el que te dije. Nerviosismo. ¿Regresó tu papá? No, no ha vuelto. Desesperación. No es momento para bromas. ¿Hay alguien o no? Se escuchan pasos. ¿De quién son esos pasos? ¡Del ángel, te digo! ¿Cómo entró? Angustia. Le abrí. ¿Le abriste? Sí. Abrió la puerta. ¿A quién le abriste? ¿A tu tío? ¿A algún vecino? No. No. Al ángel. No, Dianita, no hay tales, no existen los ángeles. Sí, sí existen, vos me dijiste hace un rato. Bueno, sí, pero no se ven. Metió a un hombre. ¿Será un vagabundo? ¿Un delincuente? Quedate acá. Teléfono de emergencia. Hay un hombre en la casa donde trabajo, un desconocido. La niña que cuido le abrió la puerta. ¿La tiene de rehén? No. ¿Qué hace? Tomó una ducha. Me parece que ahora come. Ya llega una patrulla. Llega la patrulla. Entran los oficiales. Sacan, sigilosos, a la Diana grande y a la Diana chica. ¿Por qué nos sacan? Registran. ¿Por qué nos sacan? Lo encuentran. ¿Por qué nos sacan? Porque hay un hombre peligroso y se lo van a llevar. Lo atrapan. No se opone, ni siquiera se molesta. No es hombre, Diana, es un ángel, es mi ángel. Lleva la ropa mojada, limpia como limpia lleva la piel. Lo sacan. Va atado de las manos con metal. En verdad es lindo. Le dicen a la Diana grande que sea más cuidadosa. Diana chica corre a abrazarlo. Él le sonríe. Sólo a ella, nunca a los demás, tal como había dicho. Se lo llevan. "Dios los va a castigar", murmura Diana chica.

Lázaro, el buitre

De vez en cuando, a Lázaro se le salía el instinto. Sucedía sobre todo en los funerales, donde siempre había que mantenerlo lejos del muerto porque se le acercaba de más y decía en voz alta que quería comérselo, que le despertaba el apetito. Entonces nos lo llevábamos al restaurante más cercano a tomar una copa y a que comiera algo.

Ordenaba carne cruda para que le recordara al "bocado que acababa de dejar en el ataúd". Nosotros le celebrábamos el comentario como si se tratara de la mejor de las bromas, pero sabíamos que hablaba en serio. Lázaro, bajo el traje y la sonrisa, era un buitre como los otros. No lo disimulaba. No se recortaba las garras ni plegaba las alas, salvo cuando viajaba en autobús, por consideración a los demás pasajeros. Pero, una vez en la calle, las extendía de nuevo y, si andaba más contento de lo usual, elevaba el vuelo, surcaba la cuidad y coloreaba con sus alas nuestro cielo de granito.

Era motivo de conversaciones tanto si volaba como si se quedaba en tierra. La gente le sonreía y lo saludaba, no porque fuera un buitre, sino porque era gracioso, amable. Caminaba por la ciudad soltando frases corteses al aire y provocando pláticas en cada esquina. Como siempre tenía algo que comentar, nadie lo excluía por ser un buitre ni por tener plumas incrustadas en la piel y un pico enorme en lugar de boca o por su estatura de hombre, que es descomunal para un buitre. Él se comportaba como hombre. Salía temprano de casa y compraba los periódicos de la tarde. Era un buen ciudadano, pese a que no tenía sus papeles en orden ni había hecho algo por obtenerlos.

Le agradaba a todo el mundo —a los de las calles, a los del vecindario y hasta a mí, que tenía que soportar su silencio sobre mi techo— porque era simpático. Sus chistes eran lo mejor que cualquiera hubiera oído. Eran capaces de hacer reír hasta a los que les corre vinagre por las venas. Uno podía perdonarle cualquier cosa con tal de conservar su compañía. El gusto por la carne cruda durante las cenas que compartía con nosotros, su arrogancia cuando hablaba de lo bien que se siente volar sin ir encerrado en un avión, el olor del polvillo que despedían sus plumas y hasta su manía de salir por la ventana en lugar de retirarse, como todos nosotros, por la puerta eran tolerables. Yo pude incluso perdonarle que, en un día de hambre, arrebatara de mi terraza al perro de mi señora (no puede uno negarle comida al vecino) y que, otro día, hiriera por accidente con sus garras el brazo de mi hija cuando quiso tomarla durante un juego. Lo que no pude excusarle fue la avidez con que le limpió la sangre con su propia lengua.

Mi esposa, que no ve malas intenciones, le dijo que no se abochornara, que la herida cerraría porque mi hija tenía un buen organismo. Hasta besó su mejilla en agradecimiento porque él continuaba lamiéndole la herida, sonriendo y haciéndole cosquillas a mi hija. Ella, como los demás, reía creyendo que él jugaba. Parecía que habían olvidado que nadie que juega mira con la voracidad con que él miraba a mi niña.

Lázaro deseaba comérsela como se había comido al perro y como había querido comerse a los muertos en los funerales, y como comía la carne cruda en los restaurantes, y como se habría comido a miles de animales en el lugar de donde venía. Yo lo sabía. Lo había descubierto. Él lo notó, por eso se acercó a disculparse conmigo, a decirme que aún no lograba controlar ciertos impulsos, que no fuera yo a creer que él quería dañar a mi hija. Le sonreí entonces y le dije que no había problema. En verdad quise creerlo. Pero, por la noche, lo veía en mis sueños llevarse en las garras y el pico al perro muerto de mi esposa, a mi hija y a mi hijo. En ellos, los devoraba con deleite y luego, junto a una banda inmensa de buitres, devoraba al resto de las personas de esta ciudad.

Tras notarme nervioso los días siguientes, me invitó a salir para que olvidara lo sucedido. Me rehusé la mayor parte de las veces. Por fin, acepté y lo llevé de caza sin decirle a nadie y sin darle tiempo para que avisara hacia dónde saldría. Él, encantado, insistió durante el camino en que —gracias a su vuelo, su vista y sus garras— atraparíamos piezas valiosas. Cada vez que lo afirmaba, le brillaban los ojos de deseo.

Una vez en el campo, él volaba alto y dibujaba círculos en el cielo mientras yo fingía buscar liebres. Lázaro, cada cierto tiempo, descendía y volvía a mí con una pieza enorme incrustada en las uñas. La depositaba a mis pies, me miraba con malicia y decía que aún podía traer algo más grande. Yo sonreía.

Después de siete piezas, voló alto y dibujó círculos en el trozo de cielo que estaba sobre mí. Supe entonces que era mi momento. Antes de que decidiera arrojarse sobre mí, le disparé. Mientras galanteaba su vuelo, le disparé. Mientras se precipitaba herido, le disparé. Le disparé también cuando cayó. Incluso cuando ya estaba muerto le disparé. Luego regresé a casa, donde nadie había notado nuestra ausencia porque yo había vuelto a la misma hora de todos los días.

Cuando comentaban que ya no aparecía y ya no volaba, yo sugería que a lo mejor se había marchado, así, sin avisar, como había llegado. O que, a lo mejor, nunca había sido, nunca había estado ni se había llamado Lázaro, sino que solo había sido un sueño colectivo. Y, como la gente dejó de preocuparse y olvidó con facilidad, yo decidí hacer igual. Así, cuando el dueño del edificio vino una tarde a desalojar sus pertenencias, me lamenté como el resto por su ausencia y ayudé a embalarlas. De entre todo lo que sacamos, me quedé con uno de sus trajes. Los demás se quedaron aguardando la llegada del siguiente vecino.

Abuelo

Fue idea mía. Se me ocurrió porque echaba de menos al abuelo. Aunque habían transcurrido ya dos años con tres meses desde su entierro, aún no podía acostumbrarme a su ausencia, a la falta de su mirada estática desde las esquinas, al aire sin el olor que el tabaco le había dejado impregnado en los dedos, al silencio de las madrugadas sin sus pies tropezándose con los muebles de la casa a oscuras ni a los almuerzos sin sus historias obsesivas. No podía. Lo había intentado —de verdad—, pero no conseguía habituarme a estar sin él. Por eso, un jueves por la tarde, decidí ir a buscarlo, a la hora del almuerzo, sin ayuda. Me fui al cementerio a buscarlo para llevarlo de nuevo a casa.

Un hombre me vio escarbando. Me dijo que no era correcto hacerlo sin un permiso de la municipalidad, que debía solicitarlo primero. Le contesté que mi abuelo no le pertenecía al municipio, sino a mí y a mi familia, que nosotros lo extrañábamos. "Además —le expliqué—, mañana es un día especial. Vamos a tener una reunión familiar. El grupo no estará completo sin él". Él me sonrió, hizo señas para que siguiera escarbando y se agachó para ayudarme. "Sin mí no terminarás antes de que anochezca y cierren", dijo. Y tenía razón: yo era inexperto y él, en cambio, cavaba y sellaba fosas a diario: era el enterrador.

En menos de dos horas tuve al abuelo de nuevo frente a mí, le quité las solemnes ropas de la muerte y lo vestí con una de las mudas que más le gustaba y más cómodo lo hacía sentir. El buen enterrador me dijo que me fuera sin preocupaciones: él rellenaría el hoyo por mí, a condición de que devolviera a mi abuelo a su tumba al día siguiente, viernes.

No pude aceptar su propuesta. Un solo día era muy poco tiempo para estar con un abuelo. Le pedí que me otorgara siquiera el fin de semana. Él aceptó, pero me hizo jurarle que, el lunes, a primera hora, devolvería el cadáver. No quería problemas con la ley. Yo le di mi palabra y también veinticinco colones, que se negó a aceptar. Dijo que su remuneración era la alegría de mi familia. No quise insistir; no es de buena educación. Me despedí, subí al abuelo en el automóvil y me lo llevé.

Una vez en casa lo senté en la silla que ocupaba siempre en el pasillo. No hubo necesidad de limpiarlo: estaba pulcro, como en vida. Un poco más flaco. Se miraba lindo. Nada se miraba incompleto con él ahí sentado.

Los miembros de mi familia se emocionaron. Cuando entraron, les pareció que se trataba de una visión, un invento de la mente de ellos. Fue hasta que tropezaron con él que cayeron en la cuenta de que no era uno más de sus intentos por recordarlo, sino que se trataba de él, del abuelo, que había regresado. Lo abrazaron durante largo tiempo. Sonreían más de lo que sus labios estaban acostumbrados a hacerlo y me llamaron para que fuera también a rodearlo con mis brazos. Entonces les revelé que yo lo había llevado de regreso para todos, no solo para mí.

Toda la noche la pasaron a su lado hablando de lo feliz que se pondría el resto de los parientes cuando lo vieran a la noche siguiente. Sería una gran sorpresa, decían, y telefonearon a todos para que nadie fuera a faltar.

Nadie faltó. Llegaban intrigados porque pensaban que íbamos a anunciar la entrada de un nuevo miembro en la familia. Se emocionaron cuando, después de que papá contó lo que hice, pusimos ante la vista de todos el cadáver del abuelo. No hubo quién no quisiera tocarlo. Se lanzaban a besarlo y a contarle los últimos sucesos de la familia. Los nietos no cesaban de saltar a su alrededor y los hijos no paraban de tocarse el pecho y luego tocarlo a él diciendo "no puede ser, no puede ser". La abuela estaba transformada. Brillaba. Se había colocado bajo los brazos de él y me agradecía por haberlo llevado de vuelta.

No tuve corazón para decirles que no se alegraran tanto, que debía devolverlo. Cambié de planes. Busqué la sierra y me dispuse a cortar al abuelo en seis partes, una para cada una de las cinco familias que formaron sus hijos. La otra para la abuela, que se decidió por los brazos. Nosotros nos quedamos con el tronco, sentado en la silla de siempre. Los demás no se quejaron; aceptaban lo que fuera, que siempre era mejor que una foto en la pared. También aceptaron encantados la única condición que puse: que, en las reuniones familiares, cada cual llevara (sin excusas) su parte para tener al abuelo completo.

No solo me besaron las manos, sino que hasta se hincaron ante mí. Acepté su tributo, satisfecho de haber decidido lo correcto para mi familia y no para el sepulturero ni para mi honor, que a fin de cuentas vale menos que tener al abuelo de vuelta en casa.

Fauna de alcantarilla

No era una visión: de las alcantarillas salía reptando un hombre sin ropas y con la piel escamada a cazar gatos y perros para comer. La escena duraba un instante. Luego, el hombre desaparecía. Se lo tragaban las cloacas. Volvía a salir hasta que el hambre de los suyos chillaba de nuevo.

Su mujer y sus dos hijos habían llegado con él, pero no salían, eran solo seis ojos brillantes, como los ojos de los perros, que se asomaban entre la oscuridad de debajo de las calles. El que se arriesgaba era él. Él cazaba para todos. Era certero. Sus presas no solo no conseguían escapar, sino que ni siquiera se daban cuenta de la hora en que morían porque él salía del silencio y las dormía de inmediato clavándole las uñas en la conciencia. Luego, antes de que la falta de respiración les enfriara la carne, las comía.

Tres veces al día se escuchaba el sonido de las cuatro mandíbulas triturando huesos de animales. Poco a poco, los perros iban desapareciendo de las casas y ya no se miraban gatos en los techos. Los vecinos, inquietos, le solicitaron al vigilante del barrio que detuviera al ser de las alcantarillas que estaba devorando a sus mascotas. Y el guardia lo atrapó. Lo esperó tras una sombra y, cuando salió por un perrito color canela, le echó mano y no lo dejó escapar por más que pataleó e intentó morderlo. No le costó. Lo controló como a un animal y lo entregó a los vecinos para que hicieran ellos lo que creyeran conveniente puesto que en la delegación de policía —lo sabía bien— no se encargaban de casos como esos.

A ellos se les escapó en un instante. Cuando se descuidaron, se soltó de sus manos y regresó a la alcantarilla. Todos escucharon la celebración de su familia por el regreso, amplificada por el eco de las cloacas. Entonces se aterraron. Se sintieron invadidos, plagados.

El vigilante, estupefacto, sugirió contactar con el zoológico. Estaba seguro de que ellos se encargarían mejor de esa situación. Pero se equivocó: los encargados se negaron a aceptar al ejemplar escamado. No estaban interesados. Ahí solo se ocupaban de animales, nada de hombres, mucho menos con familia. Comieran lo que comieran. Tuvieran escamas o no. Animales querían ellos. Ya antes habían acogido a un hombre y les resultó molesto porque incomodaba a los animales y además exigía demasiado.

Los vecinos tuvieron que arreglárselas por su cuenta. Sellaron las alcantarillas para que no pudieran salir, para que no siguieran desapareciendo mascotas, para que dejaran de ser un problema, para que se asfixiaran. Después de una semana, los lamentos cesaron y se esparció por el barrio el olor de seres escamados sin vida. Entonces, para contrarrestar la fetidez, abrieron nuevamente las bocas de las calles y cubrieron con cal los cuerpos. Semanas después se les ocurrió pensar que habría sido más fácil convencerlos de que regresaran a su lugar de origen o atraparlos con una red y luego arrojarlos en el pantano, de donde probablemente habían llegado. Pero ya era tarde: sus huesos estaban ya volviéndose polvo. Alguien dijo que lo tomarían en cuenta para una próxima ocasión.

Lluvia de trópico

Nos despertó el olor a caca. Yo, que dormía arrullado por el ruido de la lluvia, creí que me había pasado igual como cuando tengo esos sueños vívidos en los que me veo inconsolable y me despierto con la almohada llena de llanto. Pensé que a lo mejor no había podido controlar mis intestinos durante el sueño, así que abrí los ojos en medio de la oscuridad y, pensando en que todo era posible cuando uno está entrado en años, resolví, con vergüenza, salir al baño a revisarme.

Entendí que no era yo quien producía el olor cuando mis hermanos, que estaban sentados en la sala con la luz encendida, me preguntaron si creía yo también que la vecina de al lado había regado caca de perro en nuestra casa.

—Es posible —respondí—. Esa mujer es capaz de cualquier cosa con tal de molestarnos.

Ya nos lo había demostrado. Cuando le pedimos que callara al primero de esos animales que llevó porque no nos dejaba dormir, optó por mortificarnos. Tal vez si se lo hubiéramos pedido con dulzura se habría ella avergonzado y disculpado con nosotros por la molestia; pero, como se lo dijimos con nuestras voces de siempre, trajo al día siguiente veinte perros más a vivir en su casa para que llenaran la noche de ruidos y no nos dejaran conciliar el sueño, aunque ella tampoco pudiera dormir. Era posible entonces que el olor lo estuvieran causando las veintiuna bestias por orden suya. Por eso comenzamos a pensar en cómo hablarle —sin tener que fingir nuestras voces de siempre— para que cesara el ataque, porque podíamos soportar —con tapones de goma en los oídos— el ruido, pero no teníamos manera de evitar los olores, mucho menos ese, tan denso que casi podíamos tocarlo con las manos.

Escogiendo las palabras estábamos cuando sonó el timbre del teléfono: era la dueña de los perros. Nos pedía disculpas por el ruido de los animales, nos decía que habíamos ganado la guerra y nos proponía deshacerse de los perros si a cambio retirábamos el olor.

— ¿De qué habla, señora? Nosotros no lo hemos provocado —dijimos—. Creíamos que era obra suya y de sus animales.

—No, señores —respondió—, yo no llego a tanto.

Eliminada nuestra principal sospechosa, fuimos descartando de nuestra lista a los vecinos que fueron llamando para averiguar si nosotros éramos los causantes. Aún era de madrugada. Nadie nos llamaba nunca. De pronto, hasta gente de la que solo habíamos escuchado nos estaba telefoneando para averiguar —como todo mundo estaba haciendo— quién era el culpable. Llamaban por teléfono a cada uno de los que aparecían registrados en las guías telefónicas. Solo nosotros no llamábamos a nadie. Esperábamos a que amaneciera para abrir las puertas de nuestra casa (que, como todas las casas de este mundo, tiene muros gruesos y rejas), salir al trabajo y olvidarnos de eso.

Cuando amaneció, dedujimos que no necesitaríamos impermeables porque el ruido de la lluvia había cesado. Pensamos que ni nosotros ni nuestras ropas planchadas corríamos riesgo alguno y que, a lo mucho, debíamos llevar cubiertos los pies para evitar que se nos colara un resfriado en el cuerpo. A las siete en punto, al abrir todas las puertas, como todos los días, nosotros y nuestros vecinos encontramos la causa del olor en nuestras aceras, en las calles y salpicada en nuestras puertas: era caca. Caca de animal, no de hombre. Caca de perro que había caído durante la noche y había inundado nuestro lugar. Solo a nuestras casas (que, por suerte en este rumbo tienen muros gruesos y rejas) no se había colado. Todo lo demás estaba cubierto. Era como una nevada café: una nevada de trópico. Y apestaba.

Intercambiamos miradas de asombro con los vecinos. No sospechamos la noche anterior que el fino goteo que fue engrosándose se tratara de copos de caca que terminarían por alfombrar las calles, cubrir las ramas de los árboles, ocultar el pasto de los arriates, revestir el aire e impregnarse en nuestros zapatos. Tampoco sabíamos a quien llamar para que removiera esa sustancia que no dejaba salir nuestros automóviles y nos retrasaba para llegar al trabajo.

Tras concluir que perderíamos mucho tiempo en retirar la caca endurecida de las cocheras y las calles, decidimos ir a pie hasta nuestras oficinas. La mayoría caminaba con pañuelos en la nariz. Nosotros, además del pañuelo, llevamos un paraguas. Otros más exagerados se cubrían el rostro por completo, lo que resultaba poco práctico porque no lograban distinguir los lugares más seguros para pisar y no hundirse en el pantano de estiércol cuyo olor nos acompañó toda la jornada.

Nadie almorzó (los que lo intentaron fueron incapaces de digerir un bocado). Ocupamos el receso para comentar el hecho. Ya para la tarde, cuando el sol había endurecido lo llovido y pudimos caminar con más tranquilidad, observamos que la vista era igual por todas partes de la ciudad. No había paisaje, sino solo una pasta café que lo cubría todo.

Cerca del final del día, los vehículos más ligeros comenzaron a circular. Debido al peso, la pasta que alfombraba las calles se agrietó y dejó escapar de nuevo el olor, que ya no nos molestó como al principio. Como ya nos habíamos acostumbrado, pudimos cenar como de costumbre mientras mirábamos por televisión las noticias y apuntábamos las medidas que transmitieron para contrarrestar los efectos de la lluvia.

Durante los diez días siguientes, por decreto oficial, la circulación de los vehículos fue prohibida debido a que agrietaban el falso pavimento y, de acuerdo con los informes, impedían la solución de lo que llamaron "enfermedad ambiental" y que a nosotros ya no solo no nos molestaba, sino que nos producía una sensación de comodidad muy cercana a lo agradable.

A Dios gracias, siempre había un desobediente que sacaba su automóvil y dejaba escapar el olor sin el cual ya se nos dificultaba respirar. Pero el gobierno se dio cuenta de lo que hacíamos y mandó a clausurar las cocheras. Entonces fueron las mujeres nuestra salvación: manteníamos la sensación de bienestar gracias a que ellas, con los tacones de sus zapatitos, perforaban el suelo para que el olor escapara. Mas el gobierno descubrió la artimaña, confiscó las zapatillas altas —incluso las de almacenes, bodegas y mercados—, prohibió el uso de todo objeto que pudiera servir para el mismo fin y envió cuadrillas a limpiar las calles.

A causa de eso, algunos han comenzado a enfermar. Los demás de seguro también lo haremos pues falta en el aire eso que no podemos recuperar porque, por más que suplicamos, el gobierno no ha permitido que vuelva a llover caca de perro. Dice que es mejor para nuestra salud y que debemos acostumbrarnos. No accede a ayudarnos. Nos obliga a velar por nosotros mismos.

A los dueños de mascotas les resulta sencillo. Les basta con hacerlas defecar dentro de las casas para mantener en ellas olor suficiente. Los demás dependen de los que tienen criaderos y han hecho negocio vendiendo a altos precios la caca que producen y entregan en mascarillas o en pequeños recipientes que mantenemos todos en las salas de las casas, en los comedores, en las recámaras y en los sistemas de aire acondicionado de las oficinas. A nosotros nos sale gratis gracias a la vecina del lado, que nos la regala a cambio de que no la denunciemos por el ruido insoportable de sus animales, al que ya casi nos acostumbramos como, al final, termina uno acostumbrándose a todo.

Trampa para cucarachas #17

Salgo. Tengo que salir: mi habitación es tan pequeña que solo cabemos la cama y yo. La puerta no puede abrirse por completo debido a la falta de espacio. Lo hace apenas lo suficiente para que yo entre o salga con dificultad y deje a veces parte de la piel en el intento. Es pequeña la hendidura como pequeña es la cama, donde tampoco quepo si no adopto una posición fetal y guardo silencio, porque el ruido no cabe conmigo en la cama. La cama es muy pequeña y el ruido es inmenso. Cabe, si acaso, en el suelo. El suelo es un hoyo negro que termina donde comienzan las paredes color marfil, que deben llegar hasta un poco más allá del cielo —creo, no estoy seguro, nunca he alcanzado a verlo— y están decoloradas por la acción de la luz, que, cuando se abre la puerta, tiene también que salirse porque no hay tanto espacio para que ambos permanezcan dentro.

Es poco el aire que tengo en este edificio enano, en este piso, en este cuarto #17 sin ventanas que me renta un viejo que atiende este hotelito de paso que no es de él, sino de un alguien que nunca he visto ni en vida ni en sueños. Todo asfixia aquí adentro: el aire, el viejo, el eco de los pasos diferentes de los otros inquilinos y la ciudad, que solo se escucha. No puedo permanecer dentro de la habitación más del tiempo necesario. Nada se mira. No hay paisaje, no hay un cielo falso que pueda ser visto, ni siquiera tengo un suelo firme. Vivo acá porque es lo único que las promesas de dinero de un hombre sin trabajo que busca vida en una ciudad ajena puede pagar. No alcanza para más. Para más tendría que tener dinero. Y no lo tengo. Pero lo busco. A diario. A diario salgo a la caza de un empleo. Salgo a buscar un trabajo que no me dé satisfacciones, pero sí capital suficiente para cancelar mi deuda con el hombre que, sin conocerme, ha confiado en mi palabra y me ha dado alojamiento durante semanas sin exigirme una sola moneda. Debo pagarle para poder irme de esa habitación estrecha y húmeda llena de cucarachas que caen de ese techo que nunca he alcanzado a ver, un techo que siempre está demasiado alto y gotea. Gotea cucarachas. No transpira agua: suda cucarachas. Las cucarachas llueven sobre mí. Me cubren. Me recorren los labios. Cuando trato de atraparlas, se escapan, me burlan, se arrojan en el hoyo negro que hay debajo de la cama. Es una plaga, le dije al viejo en su oficinita, un cuartucho situado en una esquina opaca del primer piso. Se lo dije al cuarto día, tras tres noches sin dormir y cuatro días y tres noches sin pagar. Le dije: Estoy teniendo un pequeño inconveniente, don Gabriel. (Gabriel dice llamarse, pero yo creo que miente, porque, cuando lo he llamado por ese nombre nunca se vuelve a verme, no me responde).

El viejo hizo como si no me escuchaba. Entonces levanté la voz a la altura de la seriedad del caso. Demostré lo molesto que estaba: estrellé los puños sobre su mesita llena de papeles vírgenes. "Don Gabriel —repetí—, hay un problema con la habitación que me ha dado, don Gabriel, no se puede vivir ahí, don Gabriel, es imposible, no hay espacio para caminar durante las noches de insomnio, don Gabriel, y no se puede dormir tampoco: llueven cucarachas. ¡Cucarachas en la habitación de un hotel, que, aunque sea pequeño y barato, es un hotel! ¿Lo sabía, don Gabriel? ¿Sabía que la habitación está infestada de cucarachas, don Gabriel, de cucarachas de seis centímetros de largo? Debemos hacer algo. Fumigar, quizás. O cambiarme de habitación".

Él me respondió con silencio y me miró como queriendo decirme "Tú ni siquiera pagas, ¿entiendes? No tienes el derecho de reclamar". Y quizás sea cierto: no tengo derecho de reclamar. Yo no le pago. Pero es porque no tengo empleo. Busco uno para poder comprar mi derecho de reclamar y exigir una pieza más amplia que tenga ventana y desde cuya cama pueda yo ver un techo desde el que no caigan cucarachas que me impidan dormir. Y es que, desde que habito la pieza #17, no puedo tener un sueño tranquilo. Ellas están siempre ahí para evitarlo. Se meten en mi letargo y me tientan a perseguirlas. Yo las persigo, pero no consigo atraparlas ni matarlas. Son veloces. Son más rápidas que mis manos y que mi deseo de acabar con ellas. Me vencen. Una y otra vez. Me vencen. La noche entera me vencen. Vencen a la noche.

Por las mañanas salgo desvelado a enfrentarme con la ciudad. Cada vez más delgado. Pido clemencia, pero la ciudad me envía de un lugar a otro a mendigar empleo. Nada me da. Nadie me da nada. Excepto don Gabriel (que no debe llamarse Gabriel, de eso estoy seguro: es un nombre demasiado venerable para un hombre como él, que ni siquiera se preocupa por acicalarse para atender a los turistas y a los amantes furtivos que llegan a tocar la puerta de su hotelucho, que no es suyo, sino de un dueño que no se asoma mucho por ahí, que le confía el manejo del negocio). Sólo él me da algo. Me da la habitación sin cobrarme. Por el momento, porque yo le he jurado que voy a cancelar el monto de mi estancia en el hotelito cuando tenga plata, cuando consiga un trabajo y me paguen. Le voy a pagar. Pero ahora no puedo. Me avergüenza no poder. Por eso, cuando llego de pelear contra esta ciudad que no es mi ciudad, evito verlo. Trato de pasar rápido frente a su oficinita. Justo entonces parece interesarse él por mí. Me llama por mi nombre y me pregunta cómo me ha ido. "Pues, verá...", murmuro. Y él siempre me dice lo mismo: Acérate, hombre, que no te estoy cobrando, quiero saber cómo te trata esta ciudad ingrata. Me lo dice en serio. No me presiona para que le pague. Ni siquiera me dice cuánto le debo. Tampoco necesito que me lo diga, lo sé de sobra: los precios de las habitaciones están escritos en un cartelito tras su silla. El cartel me lo recuerda. Él no. Él sólo quiere conversar. Quiere platicar un rato. Quiere que le cuente cómo es la ciudad que yo veo y si ya me di por vencido y pienso volverme a la ciudad de donde salí.

Tiene un humor metálico. Nadie platica con él. Solo le preguntan cuánto cuesta la noche en la habitación simple y cuánto en la habitación tal, y cuánto en la tal, y si hay habitaciones libres, y dónde pueden encontrar un lugar aceptable para comer, y si pueden obtener más toallas, cosas así. No conversan con él. Él tampoco conversa con ellos. Si lo hace, no me doy cuenta. Ni siquiera he visto a los otros huéspedes. Sé que existen porque él los menciona y porque, de noche, muy tarde, mientras yo no puedo dormir, escucho sus pasos y sus risas o sus cansancios y jadeos. Pero nunca los he visto. Sólo lo he visto a él. Lo veo muy pocas veces, menos de dos veces diarias. Casi nunca está en su sitio. No sé dónde se mantiene —no ha querido decírmelo— ni tampoco me he atrevido a preguntarle. Ya no me atrevo a preguntarle nada. Él se molesta si lo hago. Se molesta si no le contesto lo que me pregunta y se molesta si pregunto algo o si intento comentar algo negativo acerca del hotel que cuida. Siempre detecta mis intenciones. Dice: Bueno, se acabó la conversación, vete a dónde ibas. Y tengo que obedecer, tengo que irme y no preguntar. No quiero enfadarlo, no me conviene. Si se molesta, es capaz de recogerse el poco cabello que tiene y que le cae sobre la frente y decirme con voz molesta que ya está bueno de andar haciendo caridades conmigo y que mejor me vaya, que él no gana nada teniéndome ahí a cambio de promesas. Sería terrible porque no tengo adónde ir en esta ciudad, salvo al camino que me lleva de nuevo a la ciudad que dejé. No tengo adónde ir. Nada tengo. Solo lo tengo a él y a la habitación, y a las cucarachas, y al juego inútil de tratar de atraparlas. Porque a eso juego ahora que ya llevo tanto tiempo sin dormir. Juego a atraparlas. Me da cierta satisfacción, cierta alegría, lo que es bueno porque en estos últimos días no había sentido emociones. Ya ni siquiera me avergonzaba al pasar ante don Gabriel sabiendo que le debo mucho más de lo que me podrían anticipar en un trabajo más o menos bien pagado. Ya ni siquiera me importaba que el suelo caminable dentro de la habitación sean solo seis cuadritos negros que amenazan con tragarse a cualquiera que coloque mal los pies. No me importaba. Había dejado de interesarme, como había dejado de interesarme el buscar empleo. Me daba igual conseguir uno o no conseguirlo. Ya no salía a eso. Salía a ver la ciudad, a adivinar de dónde provenía cada uno de los sonidos que, de noche, se colaban por las paredes de la habitación sin ventanas para confabularse —junto con las cucarachas y las voces y los pasos de los otros inquilinos— para no dejarme dormir.

Fui descubriéndolos uno a uno. Estaban quietos en las esquinas cercanas y en las más lejanas. Yo creía que descubrirlos me haría feliz, que sería semejante a un encuentro con una persona esperada durante años. Pero no fue así, no: no me provocaron la menor emoción. Dejaron de interesarme y ya sólo seguía saliendo para no tener que quedarme en la habitación. La idea comenzaba a gustarme. Por momentos me imaginaba postrado en la cama, inmóvil como un santo, como un condenado a la veneración, como un maldito. Pero quedarse la eternidad en ella equivaldría a ponerme en el peligro de que el viejo Gabriel me echara. Si entraba a sacudir un poco las esquinas (que no es mucho porque en la habitación no hay ventanas y el polvo que yo llevo en los pies cuando regreso es muy poco), a hacer la cama o a echar un ojo a mis cosas para comprobar que yo sigo siendo igual de miserable que cuando llegué y me veía acostado y haciendo nada, sería capaz de sacarme de inmediato. Eso sería muy triste para mí, que no tengo más sitio adonde ir en esta ciudad, ni amigos a los cuales acudir —no me ha quedado tiempo para hacer amistades—. Sería triste también para él, que no tendría con quien hacer caridad. Por eso es mejor salir, aunque mis salidas sean un engaño porque ya no salgo para algo ni para nada, no busco empleo, no veo las calles, soy ya como los demás: no me importan los edificios que me impresionaron las primeras setenta mil veces que crucé estas rutas y que me hacían sonreír de emoción porque al fin podía estar acá, donde dije que estaría, y no en mi ciudad. Lo único que me importa es llegar a la habitación.

Llegar para tenderles trampas a las cucarachas, para agarrarlas y luego atrapar un poco de sueño.

No me canso. Las primeras noches pensé que sería imposible y que lo único viable era irme, regresar a casa. Creía que ellas se habían adueñado del lugar y no lo dejarían libre para mí, no me dejarían vivir en esa ciudad, en esa ciudad a la que ellas habían llegado primero, su ciudad. Hasta llegué a pensar que el viejo Gabriel estaba de su lado y que, cuando yo salía a buscar trabajo, él entraba a dejar más en los rincones de ese cuarto minúsculo y a alimentar a las que ya estaban dentro. Porque cada vez eran más. Siempre más. Y yo estaba indefenso ante ellas. Les pertenecía. Era de su propiedad. Podían andar sobre mí a placer: le habían perdido el respeto a mis posibles manotazos. Las perseguía durante horas sin conseguir nada. Cuando casi las tenía en las manos, se desvanecían como luz, como soplos. Me había dado por vencido. Todo me había fallado, las dieciséis trampas que les había puesto las últimas dieciséis noches no habían resultado. No acudieron a comer las migas de pan que les dejé. Ignoraron las bolitas de veneno que coloqué en las esquinas. Solo conseguí que don Gabriel me regañara por ensuciar cuando esparcí azúcar en el piso para atraerlas, mantenerlas allí un buen rato y tener el tiempo suficiente para atraparlas. Ni siquiera se acercaron al libro que encontré en la calle y dejé sobre la cama para que ellas llegaran a destrozarlo. No le prestaron atención al plato de comida que puse para llamar su atención; imagino que deben tener un lugar mejor para cenar porque, cuando volví, la comida estaba intacta. No pusieron siquiera una pata encima sobre mis ropas cuando las regué con veneno para que, cuando se asentaran sobre ellas, se contaminaran y murieran en sus rincones. Tampoco cayeron en las ratoneras que coloqué ni en las trampas grandes que dispuse para ellas como si se trataran de animales inmensos, trampas de lodo, trampas de metal, de agua, de fuego, trampas de carne, de sangre, redes, arpones y música hipnótica que no cesaba de sonar.

Nada funcionó, excepto la trampa decimoséptima, que surgió como una visión la noche que le comenté a don Gabriel que me daba por vencido, que me regresaba a mi ciudad a trabajar y que le mandaría el pago desde allá. Pude dormir esa noche y las siguientes porque la trampa resultó esa noche y las siguientes. Yo sonreía y salía sonriente de la habitación por las mañanas a enfrentarme con la ciudad. A retarla. Caminaba sin mirar. Mis pies conocían de memoria los caminos. Caminaba por placer y por darles tiempo a las cucarachas para que salieran de nuevo, para que se confiaran y volvieran a caer en la trampa que les ponía, conmigo como carnada, con mi boca abierta como trampa.

Yo, haciéndome pasar por un muerto, era el mejor cebo. Dejaba de respirar y ellas me recorrían confiadas hasta entrar en mi boca abierta, con la que las atrapaba. Apresar un grupo diferente cada noche me daba felicidad y me procuraba alimento. Ya no necesitaba comer el resto del día ni andar mendigando un trozo de pan o buscando la mejor oportunidad para secuestrar una fruta mal puesta en un estante. Andaba feliz el resto del día porque, aunque no consiguiera empleo, ya había vencido a la ciudad y a sus cucarachas noche tras noche. Ya dormía. Ya tenía una alegría que saborear. Pensaba en las cucarachas todo el tiempo. Eran mi ilusión, mi razón para quedarme acá, para no volver al lugar que me envía carta tras carta pidiéndome que regresara al lado de familiares y amigos cuyos rostros se han borrado, cuyo sitio ocupan ahora las cucarachas de la habitación #17 que atrapo con mi propia trampa, una trampa que no pensé, que llegó a mí como una imagen, como una visión el día que le comenté a don Gabriel que me daba por vencido, que volvía a mi lugar. Amo a don Gabriel (aunque siga creyendo que ese no es su nombre). Él fue quien me dio la luz para aliviar mi tormento. "Tal vez si lo intentas de manera diferente, si pones de tu parte", me dijo. No sé si el viejo estaba al tanto de lo de mis batallas con las cucarachas o se refería a mi trabajo. No sé. Pero consiguió que me quedara y que las venciera. Además, me permite seguir viviendo en su hotel, que no es suyo. Con eso tengo suficiente. Vivo feliz. No quiero regresar.

Un demonio de segunda mano

Era martes, día de tedio. Regresaba del trabajo cinco o seis minutos antes de lo acostumbrado. Había logrado escapar de la oficina e iba solo, al igual que en los últimos días, con la vista fija en los suelos y haciendo en silencio la cuenta regresiva de los pasos que me separaban de mi apartamento, la cueva húmeda que me refugia de esta ciudad abigarrada. Me restaban entonces solo trescientos pasos para llegar.

Trescientos pasos me faltaban cuando lo vi: estaba sentado, solo de hombres y rodeado de perros del color de la ciudad que lo lamían sin que él objetara. Nadie más había en la calle, que, cinco o seis minutos después de esa hora, se atestaba de gente y de automóviles opacos. Nadie, salvo él, que estaba solo —como yo—, desnudo y viejo, y amordazado, y atado de pies y manos, y sin ojos. Estaba callado y cabizbajo junto al recipiente de basura del apartamento 4280, donde vive un viejo conocido mío al que únicamente visito de vez en cuando por temor de que, un día, ambos nos demos cuenta de que no nos simpatizamos lo suficiente como para ser amigos.

Para asegurarme de no estar imaginándolo, me acerqué con los ojos bien abiertos y espanté sin hacer ruido a los perros que lo rodeaban. Me disponía a tocarlo para comprobar que era real cuando él volvió hacia mí sus cuencas vacías y me sonrió con discreta alegría tras la mordaza. Yo —no sé porqué— me enternecí, me aproximé aún más y, por fin, le dije hola.

La respuesta fue un movimiento de sus manos atadas, un movimiento incesante que tardé en interpretar: quería que lo desatara.

Le liberé primero las manos, largas y huesudas; después, los pies, largos y huesudos como sus manos, como un segundo par de manos, pero bajo las piernas. Luego, mientras él se despojaba de la mordaza, reparé en su piel y sentí lástima por él. Tenía el pellejo curtido y el rostro revestido por llagas que los perros le habían cubierto con su baba. El espectáculo era tan repugnante que quise dibujar terror y asco en el rostro, pero me retraje porque ya sus dedos libres se deslizaban por mi cara para intentar hacerse una idea del aspecto de mi faz.

"Te he visto antes", me aseguró antes de agradecerme por lo que acababa de hacer por él. Repuse que no, que no nos conocíamos, que ni siquiera sabía si él era de esta ciudad, como todos los demás, o venía huyendo de la suya, como yo. Él dijo entonces que me había visto cuando visitaba al tipo del 4280, muy de vez en cuando, y agregó que no me preocupara ni me avergonzara por no ubicarlo en mis registros, que yo no tenía por qué conocerlo a él como él me conocía a mí, que era natural que fuera de ese modo porque yo no miraba a los demás por andar siempre la vista clavada en el suelo y porque, además, nadie nos había presentado ni nos habíamos visto en la calle: él no solía caminar por las rutas que yo recorro. Ni siquiera salía mucho. Y, cuando lo hacía, prefería volar por los aires, dado que siempre estaban más despejados y limpios que las aceras.

No pude más que reírme. Su comentario y su voz atascada me causaron gracia. Me pareció un viejo simpático, agradable. Además, no cesaba de sonreírme con franqueza y amplitud. Tal vez por eso, en lugar de ofrecerle llamar por teléfono a la policía para denunciar el atropello del que había sido víctima, lo invité a tomar un café en el apartamento que me protege de esta ciudad de múltiples colores mal combinados.

Si hubiera tenido ojos, se le habrían desbordado ante mi propuesta. No la creía. Me preguntaba si estaba seguro de lo que decía y, cuando le contestaba que sí, movía con incredulidad su cabeza una y otra vez. Decía que no sabía yo lo que estaba haciendo, que no entendía a quién estaba convidando, que él no era un viejo maltratado, sino un demonio, un demonio expulsado de un apartmento del edificio en que vive el conocido que frecuento poco. Parecía estar dándome la oportunidad para retractarme. Yo volví a reírme, pero con tristeza. "El viejo, aparte de maltratado —pensé—, está loco". Me dije entonces que no podía dejarlo así —solo y triste, y loco—, así que, en lugar de invitarlo a tomar un café, le ofrecí un espacio en mi casa para que posara su cabeza. Le propuse que se mudara conmigo porque él no tenía techo y yo no tenía quién me preparara el desayuno y conversara conmigo cuando regresaba a casa. Él me agradaba y, en el brillo opaco de sus cuencas vacías, noté que yo también le era simpático.

No habló, pero mostró sus tres hileras de dientes en amplia sonrisa y permitió que lo cubriera con mi chaqueta y lo tomara de la mano los trescientos pasos que restaban para llegar a mi apartamento. No se resistía, pero no cesaba de afirmar durante todo el camino que él era un demonio mientras yo iba pensando en cuáles prendas de mi guardarropa podrían servirle y dónde podría él dormir. Por la comida no me preocupaba, cualquier cosa sería buena en martes de tedio alegrado por un viejo recogido a trescientos pasos de casa.

La primera semana se mostró muy tímido. A pesar de que yo le había otorgado plena libertad para moverse por mi casa y para hacer dentro de ella lo que deseara, él, después de prepararme la comida, se plegaba en una esquina cercana a la puerta de entrada y esperaba en cuclillas y en total silencio hasta que yo regresaba del trabajo. Entonces esperaba hasta que yo le pedía por favor que hablara y lo hacía en voz muy baja y sólo acerca de los pájaros que llegaban a posarse en la ventana.

Poco a poco fue tomándome confianza, moviéndose en el espacio del apartamento que ya llamaba *nuestro* y platicándome de lo que hacía durante el día y lo que miraba por la televisión. Yo me alegraba. Mis días habían cambiado. La gente de la oficina lo había notado. Decían que estaba yo más contento que de costumbre, lo cual era cierto. Me divertía tanto en casa con mi viejo que ya no extrañaba la llamada de mi familia ni añoraba compañía de otro tipo. Él me embelesaba con el relato de historias milenarias que yo creía inventadas aunque él insistiera en que eran fruto de su experiencia como demonio.

A medida que el tiempo pasó, él se adaptó a mí y yo me adapté a él. Entendí que era un demonio —ya me lo había probado con sus historias, sus tres hileras de dientes y con su capacidad para prescindir de alimentos materiales—, pero no me importó que lo fuera. Yo era feliz con él. Gracias a su influencia, me había vuelto tan simpático e interesante que la gente se me acercaba mucho más. Además, hacía él más cómoda mi manera de vivir porque ordenaba mi habitación, recogía mis zapatos, lavaba mi ropa y se ocupaba de la decoración.

Un día, sin avisarme, compró pintura en una ferretería y, mientras yo trabajaba en la oficina, cambió los colores del apartamento. Cuando llegué, los espacios color hueso se habían marchado. La sala estaba roja; la cocina, verde; la habitación, amarilla y, la terraza, azul. Desde fuera del edificio podía verse que el lugar había cambiado.

Yo estaba tan encantado con los cambios que había obrado con la casa que lo obedecí a ciegas cuando me sugirió cambiar mi peinado, mis ropas y mi manera de gesticular cuando hablaba. Hice cuanto me dijo y, contra pronóstico, me sentí muy bien. Él también se miraba mejorado desde que estaba conmigo. Había engordado, se le había curado la piel y se reía mucho. No me cabía duda de que había obrado bien al llevarlo conmigo. Mi madre, que llamaba de vez en cuando a casa, pensaba igual. Se había hecho amiga suya por teléfono y, aunque al principio me pidió que tuviera cuidado con él por tratarse de un demonio, aprobaba nuestra amistad. Llegó a apreciarlo de la misma manera que mis compañeros de oficina, a los que les enviaba él pequeños obsequios.

Mi demonio no accedió a encontrarse con ellos cuando pidieron conocerlo. Los saludaba por teléfono, pero se negaba a ser visto. Decía que no podía presentarse ciego ante nadie. No quería espantar a nadie ni deseaba provocar lástima. Decidí por eso obsequiarle un par de ojos. Me parecía una buena forma de retribuirle por lo mucho que me había dado a cambio de mi casa y mi exigua compañía. Salí de inmediato a una juguetería a buscar una muñeca que tuviera ojos bonitos y grandes que pudieran quedarle.

Dos hermosos ojos grises le llevé envueltos para regalo. Él se emocionó hasta las lágrimas y se los colocó sin mi ayuda. Se miraba bien. Bonito. Pero, desde entonces, pasaba poco tiempo en casa. Como ya no espantaba a nadie, salía todo el día a estar en la ciudad y, cuando yo regresaba, no había nada en casa para mí, ni comida ni conversación, ni compañía.

Comencé a sentirme solo porque él me dejaba por irse de paseo con amigos que conocía en la calle o con la gente de mi oficina, que procuraba visitarlo a horas en las que no estaba yo. Entonces le reclamé. Discutimos, lo recuerdo. Él se molestó porque le exigí que me dedicara más tiempo. Me dijo que no iba a obedecerme, que yo no podía ordenarle qué hacer y qué no.

Varios días reñimos. La gente, toda, lo apoyaba a él. Yo me molesté y dejé de estar contento por los cambios que antes le había celebrado. Los colores de la habitación me agobiaban, odiaba la ropa que tenía puesta y mi corte de cabello y los ademanes que había adoptado me parecían ridículos. Encima, sus pasos por la casa me alteraban. No soportaba nada que se relacionara con él. Ya no lo quería conmigo. Buscaba un pretexto para expulsarlo.

Una tarde, cuando mi madre llamó para decirme que yo era malo con ese demonio y que debía reaccionar y cambiar, me enfurecí. Le pedí que no lo defendiera, que recordara que se trataba de un demonio. Pero ella no quiso hacerme caso. Advertí entonces el peligro en el que nos encontrábamos todos. Decidí que debía erradicarlo de mi vida y de la de mis conocidos. Por eso, cuando él regresó, lo ataqué. Quise ahorcarlo con mis manos de hombre, matarlo. Lo golpeaba y le decía que se fuera, que se largara de mi casa, que estaba harto de que decidiera mis actitudes y mis movimientos y de que se adueñara de mi gente. Mas él no se alteró ni siquiera un poco. De un soplido, me desprendió de su cuerpo y me dijo que yo era un idiota. Se sacó los ojos de muñeca que le había obsequiado y los arrojó a mis pies. Me aclaró que yo no le había hecho ni un solo favor, que sólo él me había ayudado y que debería estarle agradecido. Dijo que había sido paciente conmigo, pero, que si yo estaba harto, íbamos a separarnos. "Pero te vas tú", me dijo y se abalanzó sobre mí. Me agredió. Me sacó los ojos (creo que se los puso en su rostro, no puedo asegurarlo, ya no pude ver) y me ató de pies y manos. Dijo que iba a echarme a la basura y que yo tendría que buscarme a mi propio imbécil que me redimiera.

Para asegurarse de que me costara, me encerró en una bolsa de basura, grande, negra y fuerte, en la que aún sigo esperando a que alguien me extrañe y venga a rescatarme. Sigo esperando a mi propio imbécil... Nadie ha venido todavía.

Melissa: juegos 1 al 5

JUEGO 1: Cuatro años. Flores en el cabello. Melissa viene de la mano del padre, que está molesto: la ha hecho levantarse del jardín, donde ella había estado esperándolo seriecita, acostada sobre la grama, cubierta de flores y con los brazos cruzados sobre el pecho. Simulaba estar muerta como la abuela hace unos días. No tenía ataúd porque no encontró una caja de su tamaño.

No le gustó al padre el juego. Dijo que no era gracioso. La madre se ha echado a llorar: aún es muy reciente la muerte de su madre.

JUEGO 2: En el suelo del pasillo, sin ropa, boca abajo, con la lengua entre los dientes y un cinturón del padre que le sale desde la parte más alta de las piernas, donde lo tiene sujeto. Es un gato arrollado. A su alrededor, hojas moradas deshechas y revueltas con hojas verdes hechas bolitas. Pide que piensen que son las vísceras.

Si quieren pasar, tienen que saltar sobre el cadáver del gato, que es ella, o caminar sobre su cuerpo, patearla... de todas maneras, no siente: está muerto el gato, que es ella. También pueden levantarla con ayuda de una pala y de una escoba, guardarla en una bolsa para basura y arrojarla en el contenedor más cercano, como hizo el vecino con el gato que arrollaron frente a su casa.

La mamá le ordena levantarse inmediatamente. Y limpiar. Y vestirse.

JUEGO 3: Terraza. Hora del almuerzo. Cae de improviso a los pies del papá con los ojos abiertos, clavados en el padre, que está vivo y contempla sin entender. Tiene que explicarle: es una paloma, pero no de las que vuelan y cantan asustadas, sino de las que caen con el cuello doblado por la piedra de un niño.

Al papá no le gusta el juego. No le gusta verla tirada y con el cuello flexionado como si no tuviera huesos dentro. Le dice que se siente a comer. Ella no le hace caso. El papá le dice que, por lo menos, cierre los ojos para que parezca menos muerta. Ella sigue sin obedecer: las palomas muertas no cierran los párpados.

El padre se levanta. Se va. No se conduele.

JUEGO 4: En su habitación con las treinta muñecas sin ropa. Todas con el rostro y el cuerpo cubierto por una capa del talco que su madre le aplica en la barriga y en los pies a ella. Es una morgue.

Diez —las más pequeñas— están en las gavetas de su cómoda. Siete están sobre la mesa del tocador, sobre una sábana, en espera de ser atendidas. Las tres más nuevas están en bolsas: son las recién llegadas, aún no sabe de qué dirá que han muerto. Las cuatro acostadas sobre la cama son las que están listas para que se las lleven los parientes. Las seis bajo la cama son las que ya fueron enterradas.

La mamá entra. Mira. Le da un abrazo. Lamenta haberla llevado a recoger el cadáver de la abuela.

JUEGO 5: Plastilina. Figuras de animales y de comida.

Mediodía de frontera

Tres minutos antes del mediodía. Un baño público en la frontera. Mucho calor.

Un perro abigarrado y flaco que viene de lamer orina del baño de los hombres traspasa la puerta cuyo rótulo dice "ellas". Entra disimulando aunque está de más hacerlo porque a nadie le importa que entre un perro macho en un baño de mujeres en la frontera. Además, a esa hora suele estar vacío, así que tiene tiempo para buscar con calma.

Cruza el umbral. Avanza medio metro. Mira. Vuelve sobre sus pasos: está asqueado. Ante sus ojos amarillos de perro hay una mujer con sangre en la blusa y una lengua en las manos. Sabe que la lengua es de ella porque sus ojos aún le tiemblan del dolor y hay marcas de violencia alrededor de su boca delgada. Es suya. Está seguro de eso y también de que se la ha sacado ella misma porque sus ojos no acusan a alguien. Fue ella. El perro comienza a abandonar el lugar porque una mujer que es capaz de cortarse la lengua es capaz también de acabar con la vida de un perro de frontera. Retrocede.

Ella le pide que regrese, que no se vaya, que no la deje. El perro accede ante los ojos temblorosos de ella. Le acerca con la pata un trapo para que se cubra la boca y le pregunta por cortesía qué sucedió y quién pudo hacerle eso. Ella, que sabe que él conoce las respuestas, no responde quién, sino por qué: porque los ahorcados no se ven mal porque cuelguen del techo, sino porque la lengua cuelga de ellos. Es la lengua lo que causa horror. La lengua es lo que provoca lástima. No el cuello. Sólo el forense le presta atención al cuello. La gente común y corriente mira la lengua. Aunque se fija también un poco en los zapatos, es por la lengua que se estremece. Y ella no quiere horrorizar a nadie. Solo quiere ahorcarse.

"Comprendo", dice el perro y en realidad lo hace. Concuerda con ella respecto a la lengua y a lo que le dice después: que los que se ahorcan siempre están solos antes del acto. Es cierto. No sabe él de ahorcados que hayan estado acompañados, por eso accede a quedarse con ella antes de que deje de respirar. Se sienta a su lado. No trata de disuadirla. No quiere interferir en sus planes. Ella sabe por qué lo hace. No se arriesga él a interceder para que, luego, ella lleve una vida de desgracia y lo culpe a él por haberle cambiado los planes. Le pide que no le dé a conocer las razones, así, si lo interroga la policía, dirá lo que sabe: nada. Le reserva a ella el derecho de llevarse las explicaciones. Ella se lo agradece. Permanecen un par de minutos en silencio.

El silencio deja oír el hambre del perro flaco y abigarrado. Quiere comer. Es la hora de comer. Se reprime y espera. Permanece al lado de la viva que pronto estará muerta. Ella, que escucha los gritos de sus vísceras, saca una navaja del bolsillo, corta en trozos la lengua y se la ofrece. Aún está caliente, buena para comer. Le extiende el primer trozo con la mano derecha mientras, con la izquierda, cubre su boca con el trapo que el perro le ha alcanzado.

El perro no quiere. Desea, pero se avergüenza de desear. Ella insiste. Y él acepta.

Sabe bien la lengua. Muy bien. El primer trozo, el segundo... toda. Ella lo observa complacida con su sonrisa sin lengua. Entonces se pone de pie para comenzar a arreglarse. Se cambia de ropa, se limpia la cara, se sella la boca con pegamento para que, cuando se muera, no pueda verse el hueco sin lengua. Se la sella con forma de sonrisa. Quiere ser una ahorcada feliz.

El perro observa el ritual. La mira ajustar la cuerda a la viga. Le gusta cómo se mira. Y, en un arrebato, le jura no dejarla sola, estar a su lado mientras se cuelga, mientras patalea, mientras lucha contra la asfixia. Ella suspira. Si tuviera la boca libre y la lengua puesta, le daría las gracias. Como no puede, lo acaricia como si fuera suyo. Lo abraza. Lo oprime contra su cuerpo. Se sube en el retrete para alcanzar la cuerda.

Se cuelga.

Patalea.

Queda sin movimiento.

No respira.

Está muerta.

Llora el perro y permanece a su lado aunque ella ya no lo sepa. Se queda. Mira mujeres ruidosas que entran y ven hacia arriba, se alteran y gritan. No se mueve pese a que entran muchos. La gente lo deja quedarse porque cree que él era su mascota. No lo echan. Él no lo habría permitido. La acompaña hasta que llegan los encargados de descolgarla y se la llevan. Entonces sale en silencio. No contesta cuando le preguntan qué sucedió. No lo explica, sólo mira cómo se la llevan en un camión. Regresa al baño de mujeres a lamer un poco de sangre antes de que bloqueen la puerta con cintas amarillas o antes de que limpien. Todavía tiene un poco de hambre.

Manual
del hijo muerto

MANUAL DEL HIJO MUERTO	PÁGINA 23

Cuando el hijo está en forma de trozos

Causa especial emoción reconstruir el cuerpo del niño (24-25 años) que salió completo de la casa hace dos o seis días. Por tal razón, se recomienda tener a mano una caja de pañuelos desechables y no fumar durante el proceso, a fin de evitar humedecer o dañar con fuego y cenizas las delicadas piezas. Antes de iniciar la labor, se sugiere además cerciorarse de que cada una de las partes que le han sido entregadas se corresponda con las señas particulares de su hijo y ensamblen armoniosamente. Con frecuencia, el reconocimiento puede realizarse a simple vista, pero no está de más comparar la dentadura del cadáver con las placas registradas en el archivo del dentista de la familia.

ATENCIÓN: ATENDER ESTAS MEDIDAS DE PRECAUCIÓN PUEDE EVITARLE UN DESGASTE INNECESARIO EN EL CASO DE QUE LE HAYAN ENTREGADO LOS PEDAZOS DE UN HIJO EQUIVOCADO. ASEGÚRESE, TAMBIÉN, DE NO FIRMAR DE RECIBIDO ANTES DE ESTAR COMPLETAMENTE SEGURO (A) DE QUE EL CONTENIDO DEL PAQUETE LE PERTENECE EN SU TOTALIDAD. **RECUERDE QUE NO SE ACEPTAN DEVOLUCIONES.**

Una vez tomadas en cuenta las anteriores precauciones, proceda a acomodar las piezas en la posición en que se encontraban originalmente[1] y únalas mediante costuras desde, por lo menos, dos centímetros antes de los bordes, para evitar que se desgarren las partes cuando se transporte o abrace si ocurre un arrebato de dolor.

La mesa del comedor —en el caso de las familias numerosas— es un lugar que reúne magníficas condiciones para el procedimiento; sin embargo, para efectos del resultado final, difícilmente el cuerpo lucirá mejor en un sitio que no sea la cama de la habitación que el hijo o hija tenía asignada cuando estaba vivo(a).

TIP: EXTENDER EL CUERPO SOBRE LA CAMA EN LA POSICIÓN DECÚBITO DORSAL, CON UNA PIERNA FLEXIONADA Y SIN ARRUGAS EN LA ROPA PRODUCE SIEMPRE LA SENSACIÓN DE TENER NUEVAMENTE EN CASA NO SOLO A UN HIJO PERFECTO, SINO A UNO VIVO.

Procure acertar en la combinación de la vestimenta que en adelante utilizará el cadáver pues la manipulación excesiva que supone el cambio constante de ropas puede producir deterioro en la figura lograda y muy pocas veces puede garantizarse que las piezas vuelvan a ensamblar.

[1] Para aquellos a quiénes las variadas manifestaciones de la emoción les impidan reconstruir mentalmente la figura del hijo, se incluye en el Apéndice B un esquema básico del cuerpo humano. Aquellos padres con hijos que hayan padecido de algunas lesiones físicas que hicieron variar su estructura deberán consultar con el médico de cabecera.

Preste especial atención a las manos y pies. Estos suelen —si uno se fija muy bien— revelar escenas del padecimiento pre-muerte del hijo en cuestión. Para evitar hundirse en la tentación de elaborar hipótesis y encontrar culpables mediante las señales que dejan, cúbralos con guantes y medias de algodón[2] oscuros. No se recomienda colocar zapatos debido a que el peso de estos puede provocar una tensión mayor a la que los ligamentos de las piernas puedan soportar.

Esparza sobre el rostro una capa considerable de maquillaje —colores a tono con la tez— para disimular los golpes que posiblemente presente. Finalmente, rocíe unas gotas de agua para simular sudor por el calor de las velas que decoren el lugar.

Muéstrelo a familiares y amigos. Reparta fotografías de cuando vivía. Llore cada vez que alguien mencione su nombre.

---

[2] Evite el uso de fibras sintéticas

PROVISIONES CREATIVAS DE ENERGÍA PARA UN FUTURO QUE, CON ESFUERZO, DEBE ESTABLECERSE FUERA DEL CAOS REINANTE*

Homenaje a la ganadora del premio *Anna Seghers* 2004:
Claudia Hernández, de El Salvador

El premio Anna Seghers es diferente de muchos otros premios literarios. No pretende reconocer la trayectoria de escritores o escritoras reconocidos, sino que se vuelca sobre autores jóvenes. Además, los ganadores siempre son dos, uno de Alemania y uno de Latinoamérica. En su testamento, Anna Seghers dispuso que, de las regalías percibidas por los derechos de autor de su obra, fueran financiados cada año ambos galardones. Anna Seghers obtuvo muy joven, en 1928, el Premio Kleist. Esa experiencia la llevó a comprender lo importantes que son los galardones para los autores jóvenes. Su filiación por Latinoamérica probablemente se justifica en el hecho de que fue en México donde encontró refugio cuando tuvo que huir del terror Nazi, debido a su convicción social y ascendencia judía. Otra especificación del premio es que el autor o autora galardonado no debe ser seleccionado por un jurado. La junta directiva de la Fundación Anna Seghers designa a un juez o una jueza, quien decide sobre la adjudicación del galardón. Este año

---

*Originalmente este artículo fue publicado en alemán en 2004.

la fundación ha nombrado para tal fin a Thomas Steinfeld, jefe de literatura de la prensa alemana del sur, y a Gaby Küppers del ILA. Thomas Steinfeld eligió como ganador del premio al lírico Jan Wagner (1969) y Gaby Küppers seleccionó como ganadora del premio a la autora de prosa Claudia Hernández de San Salvador (1975)[1].

La primera referencia de Claudia Hernández me llegó de un apasionado lector alemán —las circunstancias son insignificantes— que estuvo en El Salvador. Él anota: "Llegué a tener sobre la mesa de noche, gracias a la recomendación de un colega, un extraordinario volumen con historias cortas escritas por una joven mujer. Las historias, a pesar de ubicarse entre el absurdo y el surrealismo, son contadas de manera sobria y con formulaciones cómicas". ¿Quién no habría de agudizar los oídos con semejante descripción? Me lancé a la búsqueda de pistas sobre Claudia Hernández para ver qué encontraba traducido al alemán. Solamente encontré un texto incluido en una antología sobre nuevos relatos centroamericanos de Werner Mackenbach[2]: "Melissa: juegos 1 al 5": un cuento corto —de página y media— acerca de una pequeña niña que juega a hacerse la muerta. Al apropiarse del papel de difunta, yace inerte: como su abuela, como su gato, como una paloma, con sus muñecas, como si estuviera en un gran camposanto, hasta que sus padres espantados reparan en ella. Melissa siempre encuentra nuevas formas de morir. El cuento constituye una estremecedora lectura.

---

[1] Este texto forma parte de la nota de prensa, donde el artículo de Gaby Küppers fue publicado inicialmente.

[2] Werner Mackenbach (producción): **Papayas y Bananos.** *Eróticas y otras historias de Centro América.* Frankfurt-Main, Brandes y Apsel, 2002

Mi curiosidad crece. Busco en Internet. *Google* ofrece la referencia de una reina de belleza peruana; una poeta investigadora de literatura venezolana; además de una autora de algunos libros sobre pediatría y dieta, y finalmente una escritora salvadoreña nacida en 1975 quien ganó en 1998 uno de los premios del certamen de cuento Juan Rulfo que promueve Radio Francia Internacional.

Según leí, era la primera vez que dicho premio se otorgaba a una autora de ese país. Claudia Hernández fue calificada como una gran cuentista salvadoreña, lo cual, según el comentarista del diario, representó una visión limitada, ya que su narrativa traspasaba fronteras. Sus relatos son de significado continental[3]. Entonces, surgen las preguntas: ¿qué es la literatura salvadoreña?, ¿y por qué dicha categoría le queda estrecha a Claudia Hernández? No es sino hasta ahora que El Salvador tiene coordenadas familiares en el mapa literario trazado en Alemania. Anteriormente reconocíamos a autores y autoras de países con una vasta producción. Es fácil recordar nombres de México, Argentina, Chile o Brasil, donde hay un territorio literario funcional dominado cada vez más por editoriales españolas. ¿Pero de El Salvador, el "Pulgarcito de América" como lo llamó la Premio Nobel de literatura Gabriela Mistral? Para darnos una idea sobre la producción literaria de El Salvador, es conveniente saber que las dos mayores editoriales del país publican cada año cerca de 22 títulos de literatura, en contraste con los 10,000 títulos que se publican en Alemania. La mancha ciega sobre El Salvador no sólo se sustenta geográfica

[3] "**Después de Dalton**: *en busca de una identidad propia*" en : La Prensa Gráfica, 16.1.1999; "Mediodía de frontera" en: Hablemos, 2. 3. 2004

o editorialmente. También se explica con las dictaduras militares precedentes y la abierta guerra civil de 12 años (1980-1992) que obligó a un gran número de escritores y escritoras a huir hacia el exilio.

El país se desestabilizó social y científicamente por largo tiempo —y con ello, por supuesto, su infraestructura cultural y político-cultural—. Más aún, el elemento unificador de los escritores en los años sesentas, setentas y ochentas —eso que Anna Seghers impulsó como la conciencia de vislumbrar un mundo mejor, cómo y con quiénes lograrlo, intentando erradicar la oligarquía— ya no existe. Los tiempos de "la generación comprometida" con sus innovaciones estilísticas, su temática social y sus acusaciones de las relaciones injustas y su tono a la defensiva se esfumaron. Me refiero a autores que, como Roque Dalton (1935-1975), se destacaron por ello y todavía repercuten.

Entonces, ¿Cómo se escribe hoy? La pregunta se yergue sin duda no sólo sobre El Salvador. Con el fin de las dictaduras y guerras civiles por toda Latinoamérica, los escritores jóvenes de ideología "punto cero" son repelidos. Ya no hay más esperanzas colectivas de cambios sociales fundamentales y liberación continental. Las nuevas manifestaciones artísticas y formas de expresión son múltiples. Se perciben primero las que tienen una existencia real o imputada manejada por el público lector local. También en Alemania se percibe el auge de las traducciones de libros latinoamericanos, los cuales no son disímiles a determinadas tendencias de la literatura local popular. En el globalizado mercado de libros, dominado por los grandes consorcios editoriales, se publica según el criterio de la demanda. Temas ligeros, literatura *light* va mejor. Sobre todo, debo aclarar que me aburren los escapes en serie hacia el sexo y las drogas. Escapes de una generación urbana saturada, la cual vuela a la usanza del *jet-set*, entre Santiago de Chile y cuartos de hotel en Tokio. Me parece que estos escapes son más bien el fenómeno de un mercado de libros, el cual originalmente se ha erigido sobre un diminuto y bien plantado estrato, más que sobre la expresión del sentido de la vida de un amplio estrato de la población.

Claudia Hernández escribe radicalmente de otra manera. En los dos volúmenes hasta hoy publicados, ella cuenta historias de ciudades. Pero sus héroes y heroínas —la palabra en sí parece inadecuada— no tienen tarjetas de crédito y no poseen el auto del padre a su disposición. Como ella escribe en una carta: "posee las tristezas de aquellos, que a los 30 han perdido lo que sus padres a los 60". Esta tristeza no es la excentricidad del hastío y de lo popular, sino la tristeza percibida por una sociedad destrozada, de familias fragmentadas, de metas extraviadas y de la carencia de una base social comunitaria intervenida por la moral y la conciencia. Probablemente, un reflejo de lo que menciono puede apreciarse en los relatos de post-guerra de *Mediodía de frontera* (2002, cuyo título original previa publicación era *De fronteras*) donde a los protagonistas les falta alguna de sus extremidades o se encuentran cadáveres en la cocina, sin que eso les sorprenda; logrando además, formas muy particulares de solucionar el problema (ver las historias cortas *Hechos de un buen ciudadano I* y *II).* Recordemos que sólo durante la guerra civil salvadoreña hubo 80,000 muertos. En sus historias lacónicas entremezcladas con propiedades humorísticas, la autora murmura la omnipresencia o ubicuidad de las relaciones violentas como un ruido de trasfondo no suprimido. Claudia Hernández describe las repercusiones de situaciones crueles y las imperfecciones de los consternados. Como ella misma anota: en sus relatos impulsa una perspectiva hasta los límites de la resistencia, un proceso doloroso incluso para la autora misma.

Sus historias acongojan, pero no terminan nunca en resignación. Por el contrario, de ellas emerge una intranquilidad productiva. En la acción emerge un "Yo" o un "Nosotros" que va siempre un paso hacia adelante. Los tensos crujidos en las historias se hacen inaudibles. No obstante, la protagonista o el protagonista supera sus relaciones con humor negro, con ideas verdaderamente bien sopesadas y con una estoica voluntad para sobrevivir. Frecuentemente están ausentes los desenlaces para una efectiva unión: la comunicación entre los participantes está alterada, pero nunca se interrumpe, son sólo otras las longitudes de onda, insólitas; así se evidencia en las primeras frases. Claudia Hernández examina con lupa aquello que se ve deformado pero sólo en apariencia. En realidad salen a la luz otras perspectivas más intensas. Perspectivas que trastocan la versión tradicional de la normalidad. Lo que por regla general parece absurdo constituye exclusivamente momentos de fuga ocultos y sueños para la regeneración del Yo, provisiones creativas de energía para un futuro, que con esfuerzo debe establecerse fuera del caos reinante. Salidas.

"¿Por qué escribes?", pregunté a Claudia Hernández escuetamente "...No sé. Quizá sea un acto de arrogancia encerrar este tiempo en el que el hombre vive, además de la existencia de sus semejantes —también sólo expuesta en detalles de momento—, cuando lo sensato sería no dejar ninguna huella de las crueldades que nosotros cometemos. Pero pienso que es preciso que quienes nos preceden vean el rostro de la sociedad que hemos construido, para que —si es posible— ellos, que también la construyen, cambien y puedan ser más humanos...".

En cierta forma no todo es exclusivamente salvadoreño. Los momentos surrealistas en las historias de *Mediodía de Frontera (2002)* y de *Otras Ciudades (2001)* no pueden interpretarse necesariamente desde el "realismo mágico" o lo "real maravilloso", ya que la costumbre de legitimar la literatura latinoamericana valiéndose de ciertas etiquetas ya es obsoleta.

Las historias son mucho más grotescas, a medio camino de lo carnavalesco, irónicas a veces, pero nunca fantasías cínicas, las cuales permiten a los protagonistas erguirse en la vida cotidiana. Las figuras de Claudia Hernández se mueven siempre en el ámbito urbano —como nosotros los ciudadanos y ciudadanas de la Europa Central que al primer vistazo captamos lo foráneo—. Hay otra peculiaridad que hace titubear: en alrededores "normales" acontecen sucesos confusos, y los protagonistas desprotegidos tejen soluciones. El Ambiente de ciudad que la narradora utiliza tiene un sentido completamente real: El Salvador es uno de los países más densamente poblados de Latinoamérica. En una extensión de 21,000 kilómetros cuadrados viven 6 millones de personas. Para ofrecer una idea: Rheinland-Pfalz tiene casi ese tamaño (19,837 kilómetros cuadrados), pero sólo tiene la mitad de habitantes (3,6 millones). Además, Claudia Hernández ha viajado mucho. Ella conoce lugares que no son precisamente elegantes, sórdidos cuartos de hotel en decadencia, en comunidades donde sus protagonistas han tratado de enseñorearse de sus sentimientos de soledad.

Olvida Uno, por ejemplo, es fruto de sus largas estancias en *Nueva York,* específicamente en *Brooklyn, Sunset Park,* en donde se abren paso muchos salvadoreños inmigrantes —tanto legales como ilegales—. Es así como Claudia Hernández aborda la "cascada" de la conciencia colectiva de mujeres de trabajo estable en busca de la suerte. Es así como ella camina en las mentes de aquí para allá, capturando tonos, sueños, rumores, acontecimientos. Rompimientos de hechos en la ficción. De pronto nos encontramos en la corriente de pensamientos de una joven centroamericana. Ella se acaba de subir al autobús que la llevará a su trabajo como doméstica. "Nuna", le grita un Lobo de piedra, que se pasea sobre los techos de la calle opuesta. "¡Ven!". Nuna no tiene tiempo; no puede llegar tarde al trabajo. No obstante disfrutaría la excursión. Pero entonces un ruso que se sienta al lado le oculta la visión del rizado Lobo. Quizá más tarde, hubiera sido bonito. Y nosotros nos alegramos de que a los dos días Nuna otra vez lo vea haciéndole señas... ¿Quién no hubiera envidiado en ese momento la excursión de Nuna con el Lobo de Piedra?

Con aquel Lobo el consuelo es también ilusión, un escape, figura cuajada en la fantasía como experiencia limítrofe precaria. ¿Quién acusaría, no obstante, a Nuna de loca? Aquella Nuna ahora ha perdido el empleo y no tiene papeles, igual que nosotros, y se dirige en bus hacia el nuevo trabajo que le consiguió una campesina. Pero ahora nos sumergimos en la siguiente frase, en los pensamientos de su amiga, que se preocupa porque Nuna no responde a las llamadas telefónicas, a pesar de que la tía, quien después de 10 años finalmente ha conseguido un permiso de trabajo, trae a casa medicamentos para ancianos, asevera…

Estas mujeres centroamericanas reflejan el entorno de los que allí desembarcamos, de cuyos sueños e ilusiones y problemas se compone la vida cotidiana. Ellas triunfan en *Nueva York*. Estamos frente a una variante de la, así llamada, literatura hispánica, compilada por una observadora minuciosa que vivió en una de las tantas comunidades hispanas que existen en los Estados Unidos. En los textos de *Olvida Uno* Claudia Hernández nos conduce siempre dentro de las experiencias en una ciudad muy concreta, identificando reacciones humanas ante determinadas situaciones en un determinado tiempo —hoy—. Su meta es acercarse al cuento en su estado original, texto por texto. Al final, los cuentos no dependen tanto de las descripciones concretas, sino del contexto no dicho, el cual se produce gradualmente en el cerebro de los lectores.

Estamos en otoño 2004, un otoño tomado por las damas. El Premio Nobel de literatura es para Elfriede Jelinek; el Premio Nobel de la paz para Wangari Matthei —La selección de Claudia Hernández como ganadora del galardón Anna Seghers fue poco antes—. El incremento de premios a mujeres quizá aún no se percibe, ya que son pocos los otorgados hasta ahora. Estas mujeres fueron honradas por sus méritos en la sociedad y en la literatura —en la historia centenaria de los Premios Nobel de literatura hay 10 mujeres seleccionadas; para el Premio Nobel de la paz han sido, incluida Wangari Matthei, doce.

La idea de clasificar a las mujeres en una categoría aislada no es lo que Anna Seghers pretendía (a pesar de que, en mi opinión, el criterio podría propiciar la toma de conciencia, abordándose como medida didáctica), para ella se trataba de la igualdad de derechos. Por eso, no creó su premio exclusivamente para mujeres. Pero esta vez, hay buenos motivos para que el premio haya sido otorgado a una.

Hay algo más: El Caribe hechizó a Anna Seghers. Y aunque El Salvador es el único país de América Central que no tiene salida al mar Caribe, estoy segura de que también la hubiera hechizado y se hubiera alegrado sobremanera de este homenaje y de Claudia Hernández en especial.

Gaby Küppers

❶ *Último silencio*
Ronald Flores

❷ *Poemas de la izquierda erótica*
Ana María Rodas

❸ *El hombre de Montserrat*
Dante Liano

❹ *Ningún lugar sagrado*
Rodrigo Rey Rosa

❺ *Ruido de fondo*
Javier Payeras

❻ *Tiempo de narrar*
cuentos centroamericanos
Francisco Alejandro Méndez
(Antólogo)

❼ *De Fronteras*
Claudia Hernández

❽ *De qué manera te olvido*
Dorelia Barahona

Este libro se terminó de imprimir
el 30 de marzo de 2007
en Guatemala, C.A.